Dossiers et Documents

QUI S'OCCUPE DU SOUPER ?

TRAVAIL-FAMILLE :
L'affaire des deux parents

Projet dirigé par Pierre Cayouette, éditeur et conseiller littéraire

Adjointe à l'édition : Raphaelle D'Amours
Conception graphique : Sara Tétreault
Mise en pages : Andréa Joseph [pagexpress@videotron.ca]
Révision linguistique : Sabine Cerboni et Sophie Sainte-Marie
En couverture : © Callahan / shutterstock.com
    © RoyStudio.eu / shutterstock.com

Québec Amérique
329, rue de la Commune Ouest, 3ᵉ étage
Montréal (Québec) Canada H2Y 2E1
Téléphone : 514 499-3000, télécopieur : 514 499-3010

Nous reconnaissons l'aide financière du gouvernement du Canada par l'entremise du Fonds du livre du Canada pour nos activités d'édition.

Nous remercions le Conseil des arts du Canada de son soutien. L'an dernier, le Conseil a investi 157 millions de dollars pour mettre de l'art dans la vie des Canadiennes et des Canadiens de tout le pays.

Nous tenons également à remercier la SODEC pour son appui financier. Gouvernement du Québec – Programme de crédit d'impôt pour l'édition de livres – Gestion SODEC.

Canada   Conseil des arts   Canada Council   **SODEC**
          du Canada   for the Arts   Québec ✚✚

Catalogage avant publication de Bibliothèque et Archives nationales du Québec et Bibliothèque et Archives Canada

Collard, Nathalie
Qui s'occupe du souper ? : travail-famille : l'affaire des deux parents
(Dossiers et documents)
ISBN 978-2-7644-3075-0 (Version imprimée)
ISBN 978-2-7644-3115-3 (PDF)
ISBN 978-2-7644-3116-0 (ePub)
1. Conciliation travail-vie personnelle. 2. Travail et familles. 3. Mères au travail. I. Titre. II. Collection : Dossiers et documents (Éditions Québec Amérique).
HD4904.25.C64 2016   306.3'6   C2016-940083-2

Dépôt légal, Bibliothèque et Archives nationales du Québec, 2016
Dépôt légal, Bibliothèque et Archives du Canada, 2016

© Éditions Québec Amérique inc., 2016.
quebec-amerique.com

Imprimé au Québec

NATHALIE COLLARD

QUI S'OCCUPE DU SOUPER ?

TRAVAIL-FAMILLE :
L'affaire des deux parents

Québec Amérique

À mes filles adorées, Catherine et Élizabeth.

Introduction

Assise dans ma voiture, garée dans le stationnement d'une clinique dentaire, je cherche fébrilement une feuille de papier pour prendre des notes. Il est 8 heures du matin, la ministre de la Condition féminine Agnès Maltais va m'appeler d'un instant à l'autre et j'ai oublié mon calepin à la maison. Pourquoi ne suis-je pas assise à mon bureau? Parce que ma fille a rendez-vous chez l'orthodontiste et que la ministre n'a pas d'autres disponibilités ce jour-là.

Résultat : je fais l'entrevue dans mon «char». Et à défaut d'avoir trouvé une feuille de papier, je note les réponses de la ministre au dos de mon carnet de chèques... Mal organisée, dites-vous?

En fait, dans la vie, je suis plutôt bien organisée. Malgré cela, j'ai souvent l'impression de courir. Je me corrige : j'ai toujours l'impression de courir. Du matin au soir, ma vie ressemble à une course (à obstacles) pour tenter de faire tout ce que je veux accomplir dans une journée.

Et pourtant... Je ne suis pas PDG d'une entreprise ni ministre, je ne supervise aucun employé, je suis une journaliste qui n'a que moi et mes articles à gérer, et qui bénéficie d'horaires bien plus flexibles que la moyenne des travailleurs. Et j'ai tout de même le sentiment de m'épuiser à vouloir tout accomplir. Je ne me considère absolument pas comme une carriériste (je n'ai rien contre, mais je ne le suis pas) et, pourtant, j'ai l'ambition de tout faire, tout être, tout réussir : être une bonne journaliste, une bonne mère, une bonne blonde, une fille en forme, cultivée, informée, qui sait cuisiner, etc.

Or, je n'y arrive pas.

Je garderais cet aveu d'échec pour moi si je croyais être la seule de mon espèce. Mais voilà, je suis convaincue du contraire. Je constate qu'autour de moi nombreuses sont les femmes qui courent en pensant qu'elles n'y parviendront pas.

Il y a celles qui ont des carrières prestigieuses qui les obligent à travailler de longues heures, à voyager et à participer à une foule d'événements mondains en plus de leur travail. Leur vie est souvent réglée comme du papier à musique. Et même si elles ont les moyens de s'offrir de l'aide pour la maison et les enfants, elles trouvent, elles aussi, qu'elles manquent de temps.

Il y a les femmes qui, comme moi, ont une job plus « normale », un ou des enfants, un mari, une maison, des amies, des loisirs, et qui se couchent le soir, essoufflées et un peu frustrées de ne pas avoir réussi à cocher tous les éléments sur leur liste de choses à faire. Et qui se demandent comment les autres font pour tout concilier sans devenir folles.

Il y a celles qui, à un moment donné, ont craqué parce qu'elles n'y arrivaient tout simplement pas. Ou qui ont décidé de tout envoyer promener et de se retirer de cette course folle.

Et il y a toutes ces femmes qui occupent des emplois précaires ou mal rémunérés, qui ne disposent d'aucune flexibilité, qui œuvrent dans un domaine où la notion de conciliation travail-famille n'existe tout simplement pas. En couple ou monoparentales, en déficit de ressources, ces femmes sont non seulement essouf-flées, elles sont épuisées.

Toutes ces femmes, j'insiste sur le «toutes», participent au bel effort de la conciliation travail-famille. Certaines pensent y arriver. D'autres pas. La majorité souhaite que cette conciliation se conjugue aussi bien au masculin qu'au féminin.

Or, pour l'instant, ce sont encore et surtout les femmes qui pédalent. Et franchement, il est temps que cela change!

Le constat est clair: le congé de maternité, le congé parental et les services de garde ne sont pas suffisants. Les mères, et de plus en plus de pères, sont à bout de souffle. Dans un avis scientifique de l'Institut national de santé publique du Québec (INSPQ) paru en 2013 et portant sur la conciliation travail-famille et la santé, les chercheuses Nathalie St-Amour et Mélanie Bourque constataient que «les parents vivaient un niveau de stress encore très élevé, malgré les mesures à leur disposition».

Toujours selon cette étude, plus de la moitié des mères québécoises travaillant à temps plein, âgées de 25 à 44 ans et ayant au moins un enfant de moins de 11 ans se décrivaient comme étant «constamment tendues», alors que plus des 2 tiers (68%) estimaient ne pas consacrer assez de temps à la famille ou aux amis. Dans certains cas, les degrés de stress sont tellement élevés qu'on commence à parler de symptômes de dépression...

Ce n'est pas ainsi que les choses devaient se dérouler. Les féministes des années 1960 et 1970 semblaient plutôt convaincues que leurs filles et leurs petites-filles allaient vivre dans un monde plus égalitaire où les femmes auraient autant de chances que les hommes de s'épanouir et de se réaliser.

Comment en sommes-nous arrivées là ?

« Il serait réducteur de vouloir attribuer l'origine du conflit emploi-famille à une seule cause », affirme Diane-Gabrielle Tremblay dans son ouvrage *Conciliation emploi-famille et temps sociaux* paru en 2011 aux Presses de l'Université du Québec.

Parmi les causes citées par cette spécialiste de la conciliation, il y a « l'insuffisance des mesures institutionnelles et des moyens offerts par les entreprises et, dans certains cas, la faible participation des pères ».

Encore aujourd'hui, en 2016, les femmes se retrouvent souvent à assumer une double tâche. Elles sont stressées, épuisées. Et celles qui se sont rapprochées du pouvoir et qui occupent des postes-clés paient un prix élevé. Tellement élevé qu'en les regardant, les plus jeunes se demandent si le jeu en vaut vraiment la chandelle.

Je pense entre autres à l'Américaine Anne-Marie Slaughter. Le 8 juillet 2012, alors qu'elle travaillait au secrétariat d'État auprès d'Hillary Clinton, Mme Slaughter a publié une lettre dans *The Atlantic*, lettre qui a marqué l'histoire du magazine. Son texte a en effet été le plus partagé dans les réseaux sociaux depuis que cette publication est présente sur le Web.

Intitulée « Pourquoi les femmes ne peuvent pas tout avoir » (*Why Women Still Can't Have It All*), cette lettre était un véritable cri du cœur de Mme Slaughter (qui a publié depuis *Unfinished Business*, un livre dans lequel elle poursuit sa réflexion). Elle déclarait que, malgré les combats féministes et les gains accomplis dans la lutte pour l'égalité entre les sexes, les femmes ne peuvent toujours pas « tout avoir », c'est-à-dire la carrière ET la famille.

En plus d'occuper un poste prestigieux, Mme Slaughter est mère de deux enfants qui vivaient avec leur père au moment de la publication du fameux texte. Mme Slaughter travaillait à Washington la semaine et retournait auprès de sa famille les week-ends, épuisée, on le devine bien, avec une pile de documents sous le bras. Son mode de vie exténuant, combiné à l'adolescence difficile de son aîné, l'a rattrapée. Après deux ans de ce régime infernal, elle déclarait forfait. Elle explique avoir longtemps hésité avant de raconter son histoire sur la place publique. Les femmes de son entourage avaient le sentiment que, si elle publiait ce texte dans *The Atlantic*, elle trahirait toutes celles qui, alimentant le mythe, prétendaient pouvoir tout faire et tout avoir.

Les propos d'Anne-Marie Slaughter ont bien sûr eu l'effet d'une bombe aux États-Unis et, quatre ans plus tard, l'onde de choc se fait encore ressentir. En Amérique du Nord, mais également en Europe et en Asie, les femmes se sont senties interpellées par ce constat déprimant et en ont discuté avec leurs amies.

Quelques mois après la publication de la lettre de Mme Slaughter, c'était au tour de Sheryl Sandberg, numéro 2 chez Facebook, de jeter un pavé dans la mare. Son livre, *Lean In* (*En avant toutes*, en français), nous sert pratiquement le discours contraire de celui d'Anne-Marie Slaughter. Mme Sandberg lance un cri de ralliement destiné aux femmes et aux jeunes filles, les implorant de ne pas reculer, de ne pas renoncer à leur ambition et à une carrière exigeante sous prétexte qu'elles ont ou auront un jour des enfants. Alors qu'Anne-Marie Slaughter nous disait que nous ne pouvions pas tout avoir, Sheryl Sandberg nous assurait l'inverse. Il suffit d'être bien organisée et d'avoir un bon conjoint à ses côtés pour y arriver, nous promettait-elle (son conjoint, qu'elle encensait dans son livre, est mort tragiquement en 2015).

Pour en avoir discuté avec plusieurs femmes, je sais que le livre de Sheryl Sandberg a eu l'effet d'un coup de fouet pour plusieurs qui ont trouvé son discours rafraîchissant, optimiste et motivant. D'autres lui en ont voulu de venir donner des leçons du haut de son statut de femme privilégiée.

Quant à moi, je me demande laquelle des deux femmes a raison.

Avant de poursuivre, il faut absolument préciser que Sandberg et Slaughter vivent aux États-Unis, un des rares pays industrialisés où les femmes n'ont pas droit à un congé de maternité, comme l'a rappelé Sophie Brochu, présidente de Gaz Métro, à Hillary Clinton lors de la visite de l'ex-secrétaire d'État américaine (aujourd'hui candidate à la présidence) à Montréal en mars 2013.

Ce à quoi l'ex-première dame a répondu que, si elle devenait présidente des États-Unis un jour, c'est la première chose qu'elle changerait (elle fait d'ailleurs allusion à la conciliation travail-famille à la troisième ligne de ses mémoires, *Hard Choices*).

Anne-Marie Slaughter et Sheryl Sandberg évoluent donc dans un pays où il n'y a aucun congé de maternité public (certaines entreprises en offrent à leurs employées) ni de services de garde dignes de ce nom (il existe des garderies privées, mais elles coûtent très cher). Les femmes qui travaillent et qui ont des enfants doivent faire preuve de débrouillardise. Ajoutez à cela que l'Américain moyen participe moins aux tâches domestiques que son équivalent canadien et vous comprenez un peu mieux pourquoi Mme Slaughter a signé ce texte.

Si on fait exception du Québec, on ne peut pas dire que la situation des Canadiennes est très différente de celles des Américaines. Le coût élevé des services de garde dans le reste du pays fait en sorte que plusieurs femmes décident de rester à la maison pour des raisons économiques. Il leur coûte moins cher de ne pas travailler.

Mais nous, les Québécoises, qui avons droit à un congé de maternité généreux et à des services de garde, ne devrions-nous pas être en mesure de tout concilier ? Comment se fait-il que nous n'y arrivions pas ?

Comment se fait-il qu'ici aussi les femmes s'épuisent à vouloir tout faire et ont souvent l'impression d'échouer ?

Comment se fait-il que les femmes se torturent à essayer de tout concilier, qu'elles se demandent si elles sont de bonnes mères, de bonnes épouses et de bonnes employées, alors que la plupart des hommes, eux, semblent être beaucoup moins torturés par ce genre de questions ?

C'est d'autant plus injuste que ce sont les femmes qui consacrent le plus de temps aux tâches domestiques dans les familles où les deux conjoints travaillent. Ce sont encore elles – à moins d'un avis contraire – que l'école ou la garderie appelle encore lorsque le petit fait de la fièvre. Et ce sont souvent elles qui s'absentent du travail pour accompagner un enfant à un rendez-vous médical.

Les milieux de travail, eux, s'ouvrent timidement à la réalité de la conciliation travail-famille. « J'aimerais te dire que les choses changent, mais ce n'est pas vrai, pas encore », m'a confié Louise Descarie, présidente de la firme La Tête Chercheuse, lorsque je l'ai rencontrée pour la rédaction de ce livre.

« Les chiffres ont changé, mais les femmes en font encore plus que les hommes », m'a affirmé quant à elle la professeure et chercheuse Diane-Gabrielle Tremblay.

Au Québec, et même dans les pays scandinaves qu'on nous cite toujours en exemple, les hommes ET les entreprises ont encore du chemin à faire pour qu'on sorte de ce cercle infernal de la super femme-maman-épouse-employée qui fait tout.

○○○

« Les femmes voulaient tout avoir, elles se sont retrouvées à tout faire. »

Combien de fois ai-je lu cette phrase en effectuant des recherches pour ce livre. Des dizaines et des dizaines de fois.

Nous sommes-nous fait avoir en voulant tout avoir ? Sommes-nous responsables de notre éternelle insatisfaction ? Et est-ce que le féminisme a une part de responsabilité dans l'équation ?

Je suis de la génération X, celle à qui on a dit et répété que les femmes pouvaient tout avoir : la super carrière ET la vie de famille.

Ce terme «tout avoir» ne date pas d'hier. Il a été lancé une première fois par Helen Gurley Brown, l'éditrice du *Cosmopolitan*, à une époque où les femmes avaient encore bien des combats à mener. Au fait, quand on dit «tout», de quoi parle-t-on? «Tout» peut prendre un sens différent selon la personne à laquelle on s'adresse, mais en gros, quand on dit qu'une femme peut tout avoir, cela implique qu'elle peut avoir une famille ET s'épanouir au travail (à noter que Mme Gurley Brown n'a jamais eu d'enfant, qu'elle était très riche et pouvait se payer toute l'aide dont elle avait besoin).

Le hic: on a peut-être oublié en chemin de nous avertir que ce ne serait pas si facile de tout avoir, que nous serions déchirées, que nous aurions peut-être envie de rester à la maison pour nous occuper de notre bébé ou qu'au contraire nous nous sauverions en courant après l'accouchement, car nous détesterions nous occuper des purées et des couches. D'une manière ou d'une autre, nous n'étions pas super bien préparées à affronter la réalité qui nous attendait.

Je dis que le féminisme est en partie responsable parce qu'aux yeux des féministes les femmes ne pouvaient s'épanouir que par la réussite professionnelle et l'autonomie financière. La maternité comme source d'épanouissement n'était pas une option.

Au contraire, une femme qui restait à la maison était vue comme une perdante. Le féminisme n'est pas «exclusivement» responsable, mais, à mon avis, il a contribué à cette dévalorisation de la maternité et, ce faisant, il a réduit les choix qui s'offraient aux femmes plutôt que de les élargir.

La sociologue féministe Francine Descarries n'est absolument pas d'accord avec moi. «Je trouve qu'il y a un certain antiféminisme à taxer le féminisme de responsable de ce problème, me dit-elle lorsque je lui fais part de ma réflexion. Le féminisme a voulu ouvrir les portes aux femmes et, tout à coup, on l'accuse d'avoir dit aux femmes: "Vous pouvez tout réaliser et tout faire." Ce que le féminisme a dit, c'est que tout DEVRAIT être possible pour vous et, pour moi, c'est une distinction très importante à faire.»

Est-ce une simple question de temps de verbe? Et dites-moi, alors, quand passerons-nous du conditionnel à l'indicatif présent?

Personnellement, je persiste à croire que la véritable égalité des sexes sera atteinte le jour où hommes et femmes pourront faire des choix librement, sans se sentir coupables parce qu'ils et elles ne correspondent pas aux modèles de réussite imposés par la société.

De nos jours encore, aux yeux d'un certain féminisme, une femme qui choisit de rester à la maison auprès des enfants se fait piéger, et celle qui y succombe est la victime d'une vaste machination patriarcale (alors que le père qui reste à la maison est considéré comme un héros ou un saint).

Pourtant, nous ne sommes plus à l'époque de l'enfermement domestique de Betty Friedan. Les parents – hommes ou femmes – à la recherche de l'équilibre et qui choisissent de passer du temps à la maison le font souvent pour des raisons de santé mentale et ils méritent aussi bien notre respect que ceux qui se tuent à l'ouvrage et qu'on nous impose comme des modèles de réussite.

Tout avoir et tout être à la fois, c'est impossible. C'est une croyance qui ne peut mener qu'à une immense déception.

Croire qu'on peut tout être et tout faire est un discours dangereux qui, jusqu'ici, a surtout fait mal aux femmes, car elles sont plus sensibles que les hommes à cette course à la performance. Elles ont encore tant à prouver pour être prises au sérieux.

Combien de fois avez-vous entendu un ami vous dire : « Je suis débordé avec les enfants, le travail, ma blonde, les parties de hockey… Je n'y arrive pas, j'en peux plus… » ?

Rarement, n'est-ce pas ?

On va me répondre qu'on n'entend pas les hommes se plaindre qu'ils sont débordés parce qu'ils n'en font pas autant que les femmes, qu'ils s'impliquent moins que leurs conjointes dans l'éducation et le soin de leurs enfants, mais je persiste et signe : ils paniquent beaucoup moins que nous, les femmes, à l'idée de ne pas tout faire selon les règles, de ne pas être parfaits.

Je ne propose surtout pas que les femmes abandonnent leurs aspirations professionnelles et qu'elles renoncent à une carrière pour rester auprès de leur famille. Loin de là…

Je dis qu'il faut en finir avec cette obligation de « réussir » sa vie en étant tout pour tous en toutes circonstances.

Qu'il faut arrêter de nous vendre l'illusion du tout avoir.

Oui, on peut avoir une carrière et réussir son couple, mais il y aura un prix à payer. Oui, on peut courir des marathons, voyager à travers le monde et être un modèle dans notre profession. Mais ne nous leurrons pas en pensant qu'il n'y aura aucun impact sur notre vie familiale et amoureuse.

Simple question de logique.

Et qu'on ne vienne pas me dire que ces questionnements sont ceux des femmes issues d'un milieu aisé, du 1 % comme on les appelle aujourd'hui. Trop facile de faire de ce débat une discussion de privilégiées quand, dans les faits, cette discussion en est une sur l'égalité entre hommes et femmes. Une discussion qui touche tout le monde et pas seulement les femmes riches et blanches.

Depuis une soixantaine d'années, la conciliation travail-famille est surtout une affaire de femmes. L'équilibre entre la vie personnelle et la vie professionnelle est considéré comme leur problème personnel, une question d'organisation, un sujet pour les magazines féminins. C'est comme si la société nous disait : « Vous avez voulu travailler, débrouillez-vous toutes seules pour y arriver ET avoir des enfants ET vous en occuper. » Un relent du discours des années 1950, en quelque sorte.

Quand j'entends des hommes qui approchent l'âge de la retraite dire qu'ils quittent leur poste prestigieux de ministre ou de chef d'entreprise pour passer plus de temps avec leur famille, j'ai toujours une pensée pour leurs enfants : quel âge ont-ils ? L'âge d'être à leur tour parent ? C'est avec leurs petits-enfants que ces hommes veulent passer plus de temps ?

Heureusement, les choses changent, même si elles ne changent pas assez vite à mon goût.

Les pères s'impliquent plus, des employeurs deviennent plus flexibles.

La prochaine étape est d'arriver à concevoir la conciliation travail-famille non pas comme un «problème» personnel ou un défi d'organisation individuel, mais comme un enjeu de société qui touche tout le monde.

Je rencontre de plus en plus d'hommes qui se posent les mêmes questions que nous, les femmes. Pour ce livre, j'ai rencontré un homme qui semblait très fier de me dire que son entreprise était reconnue pour favoriser la conciliation travail-famille. Et qui consacrait lui-même beaucoup de temps à ses enfants. J'ai échangé avec des pères qui m'ont parlé de leurs préoccupations qui n'étaient pas si éloignées de celles des mères que j'ai interviewées pour ce livre. De l'ex-première ministre du Québec Pauline Marois à la présidente du Conseil du statut de la femme Julie Miville-Dechêne en passant par le chanteur Vincent Vallières et l'animatrice de radio Annie Desrochers, tout le monde cherche un certain équilibre entre le temps consacré à sa carrière et celui consacré à sa famille. Et personne ne trouve cela facile.

Vous avez souvent lu des entrevues avec des dirigeants d'entreprises à qui on demande comment ils font pour tout concilier ? Moi non plus. Alors que c'est une des premières questions qu'on pose aux femmes.

Je ne suis pas naïve, je sais bien que certaines carrières exigent plus d'heures et plus d'engagement que d'autres. Mon mari, dont le père a déjà été ministre, me l'a souvent répété : la politique ne se fait pas de 9 à 5, il faut y consacrer beaucoup d'heures.

Même chose lorsqu'on est chef d'une multinationale. On ne peut pas imaginer un horaire où on sera tous les jours à la maison à 17 heures.

Pourtant, dans son adresse à la nation, en 2014, le président Obama a déclaré ceci : « Ni les hommes ni les femmes ne devraient avoir à choisir entre leur carrière et leurs enfants. Ils ne devraient pas risquer d'avoir des problèmes au travail s'ils prennent soin d'un parent malade. Il est temps de mettre fin à des pratiques qui appartiennent à l'époque de *Mad Men*... »

Le même Barack Obama qui, rappelons-le, se fait un devoir de manger avec sa femme et ses deux filles plusieurs soirs par semaine. Or, si le président des États-Unis le peut...

Au Canada, le nouveau premier ministre, Justin Trudeau, est un père de famille de trois jeunes enfants qui a tenu à raconter, dès les premiers jours de son entrée en fonction, qu'en additionnant les rejetons de tous les nouveaux ministres on arrivait à environ une cinquantaine de jeunes enfants. Sa ministre de l'Environnement, Catherine McKenna, mère de trois enfants âgés de 11, 9 et 7 ans, a quant à elle déclaré qu'à l'exception du jeudi, elle allait quitter le bureau à 17 h 30 tous les jours. Son téléphone cellulaire resterait fermé jusqu'à 20 h afin qu'elle puisse manger avec sa famille et superviser les devoirs des enfants. « Je ne serai pas une bonne ministre si mes enfants et moi ne sommes pas heureux, s'il n'y a pas une forme d'équilibre », a-t-elle ajouté. Comment s'empêcher d'espérer que cette nouvelle réalité n'ait pas une influence sur les décisions qui seront prises au cours des prochaines années ? Personnellement, je trouve ça très réjouissant.

○○○

Les choses sont donc en train de changer. Nous réalisons que la conciliation travail-famille est une condition nécessaire à l'équilibre de la société. Et que si, durant des siècles, les hommes ont pu «tout avoir» ou, du moins, avoir accès à tout – la carrière, les enfants, la famille, les loisirs –, c'est parce que les femmes étaient à leurs côtés et s'occupaient de tout. C'est l'heure du retour du balancier. Au tour des hommes de mettre la main à la pâte afin qu'hommes et femmes puissent se réaliser pleinement.

CHAPITRE 1
Vouloir «tout faire» et «tout avoir»

C'est le moment de l'année où une flopée de femmes qui ont réussi – qui ont tout – prononcent des discours à des femmes comme vous et vous disent, pour être parfaitement honnêtes, que vous ne pouvez pas tout avoir. Peut-être que les jeunes femmes ne se demandent pas si elles peuvent tout avoir, mais au cas où vous vous poseriez la question, bien sûr que vous pouvez tout avoir. Qu'allez-vous faire? Tout, c'est ce que je crois. Ce sera un peu bordélique, mais embrassez le bordel. Ce sera compliqué, mais réjouissez-vous des complications. Cela ne ressemblera en rien à ce à quoi vous vous attendez, mais les surprises sont bonnes pour vous. Et n'ayez pas peur : vous pouvez toujours changer d'idée. Je le sais : j'ai eu quatre carrières et trois maris.

Discours d'ouverture de Nora Ephron
au Wellesley College, 1996

Depuis que je suis toute petite, je me suis imaginée travaillant. Je n'ai jamais rêvé d'une vie où je serais mère à la maison, entourée d'enfants. Je me souviens que, lorsque je jouais avec mes amies, même mes Barbie avaient des carrières : elles étaient professeures d'université, agentes de bord, top-modèles ou espionnes. Elles n'étaient pas mariées, n'avaient pas de bébés.

La plupart des filles de ma génération étaient comme moi. On ne se voyait pas « maman à la maison » ou « femme au foyer ». La vie domestique n'avait tellement pas d'intérêt à mes yeux que je n'ai pas cuisiné un seul vrai repas avant l'âge de 30 ans. Et à ce jour, je ne possède toujours pas de fer ni de planche à repasser.

« Quand je me projetais dans l'avenir, il n'y avait pas nécessairement d'enfants », me confie Dominique Anglade, elle aussi issue de la génération X. Dominique était à la tête de Montréal International quand je l'ai rencontrée. Elle est aujourd'hui ministre de l'Économie, de la Science et de l'Innovation ainsi que ministre responsable de la Stratégie numérique. « J'ai toujours su que j'allais travailler, que j'aurais une carrière, poursuit-elle. J'avais une tante qui avait trois enfants et restait à la maison. Je me souviens très bien que, petite, en regardant une émission de Denise Bombardier, je me suis dit : *Moi, je préférerais être comme Denise Bombardier plutôt que comme ma tante.* »

C'est aussi ce que me dit la journaliste de *La Presse* et auteure Katia Gagnon. « J'ai toujours voulu plusieurs enfants, une grande famille, me confie cette fille unique qui est mère de trois garçons. Ma mère me disait toujours : "Sois autonome financièrement, ne dépends jamais d'un homme." C'était très important pour elle qui avait eu une carrière d'enseignante, puis de directrice d'école. C'était inconcevable à ses yeux que je ne travaille pas. Elle a été mon modèle. »

Katia a commencé sa carrière à la *Tribune de la presse*, à Québec, un milieu de « gars ». « Nous étions 3 femmes sur environ 40 journalistes, se souvient-elle. J'avais 29 ans quand j'ai eu mon premier enfant. Mais comme on habitait à 10 minutes du travail et qu'on avait une gardienne, on pouvait aviser quand on rentrait plus tard. »

Quand Katia et son conjoint, lui aussi journaliste, sont revenus vivre à Montréal, les parents de Katia ont emménagé à l'étage au-dessus. «Honnêtement, je n'aurais jamais pu avoir trois enfants si ma mère n'avait pas été là. Je pense qu'elle l'a fait pour que sa fille puisse avoir une carrière.»

Dans le cas de Dominique Anglade, c'est à 23 ans que la question des enfants s'est imposée. C'est à 23 ans qu'elle a su au plus profond d'elle-même qu'elle en voulait. «C'était très fort, je savais que je ne voulais pas passer à côté de ça», m'assure-t-elle.

Il n'a toutefois jamais été question pour Dominique de mettre son ambition professionnelle en veilleuse. Comme moi et comme tant d'autres femmes de notre génération, nous allions réussir à «tout faire» et à «tout avoir».

Pour ma part, j'ai eu ma première fille à 29 ans.

Je démarrais ma carrière de journaliste, je réalisais quelques piges à droite et à gauche. Comme j'étais loin d'être indispensable dans mon milieu professionnel à ce moment-là, j'ai cessé de travailler pendant 14 mois durant lesquels j'ai passé tout mon temps avec ma fille, grâce au soutien financier de son père. J'ai repris le boulot tranquillement par la suite et j'ai eu la chance d'avoir une gardienne à la maison quelques heures par semaine, un luxe qui n'est pas donné à tout le monde, je le sais bien.

Avoir un enfant lorsqu'on est deux parents demeure relativement facile. On est un couple qui a un enfant. On apprend sur le tas. On se débrouille. Et même si on n'est pas super organisés, ça va. On est encore dans une proportion avantageuse : deux pour un. C'est souvent à l'arrivée du deuxième que les choses se corsent et qu'on commence à parler véritablement de conciliation travail-famille.

Je me souviens d'avoir assisté à une réunion de rédaction au magazine *Châtelaine*, où j'étais collaboratrice, enceinte de neuf mois et des poussières. Mes collègues craignaient que j'accouche sur place. À la deuxième grossesse, ma carrière de pigiste était bien en selle et il n'était plus question pour moi de prendre une longue pause. Les congés de maternité d'un an n'existaient pas à l'époque, et ceux de six mois n'étaient pas accessibles aux travailleuses autonomes comme moi. J'ai donc repris le boulot à temps partiel lorsque ma fille a eu deux mois. Vous dire comment j'étais exténuée! C'est à ce moment-là que j'ai mieux saisi l'importance de la conciliation travail-famille.

Jusque-là, je n'y avais jamais pensé. Je sais qu'aujourd'hui bien des jeunes femmes y songent dès le début de la vingtaine, que certaines planifient pratiquement leur carrière en conséquence d'une ou de plusieurs grossesses, mais dans mon cas je n'avais jamais accordé une seule seconde de réflexion à cette question.

Quand j'y repense, il me semble que je n'ai jamais douté que je pourrais tout accomplir. Je faisais partie d'une génération de femmes privilégiées. Nous étions nées dans un monde où les principales portes – l'éducation supérieure, le monde du travail, etc. – avaient déjà été défoncées. Je ne me souviens pas qu'on nous ait parlé d'un choix, d'une décision déchirante à prendre lorsque nous aurions des enfants. Tout semblait possible et accessible : l'éducation, la carrière, la vie amoureuse, les enfants, la vie de famille… Il n'était pas question de NE PAS travailler et je ne me souviens d'aucune amie dont l'ambition était de rester à la maison pour élever ses enfants.

J'en ai parlé avec Josée Boileau, ex-rédactrice en chef du *Devoir* et l'une des rares femmes dans le milieu journalistique québécois à avoir quatre enfants. Pour elle non plus, il n'a jamais été question de ne pas travailler. Lorsque Josée a passé sa première entrevue au *Devoir*, il y a plus de 20 ans, elle a donc caché qu'elle avait un enfant. «J'avais peur de ne pas avoir la "job" si je le disais, me raconte-t-elle. À ce moment-là, il n'y avait pas de filles journalistes qui avaient des enfants et j'avais peur que ça me nuise. Évidemment, tout le monde a fini par le savoir, mais je voulais me montrer toujours disponible. Le nombre de fois où j'ai dû appeler mon chum pour lui dire que je n'avais pas fini… Tout le monde allait chercher mon enfant à la garderie : mes parents, ma sœur, des gardiennes…»

Des années plus tard, après un séjour à l'étranger et un passage à La Presse canadienne, Josée était de retour au *Devoir*. Cette fois, tout le monde était au courant qu'elle était mère de plusieurs enfants. À l'époque, ils fréquentaient tous la garderie. Son mari, toujours le même, enseignait à Sherbrooke deux fois par semaine. «J'allais chercher les enfants à la garderie deux fois par semaine, lui aussi, et la cinquième fois c'étaient mes parents. On courait, on était stressés. C'est arrivé à quelques reprises que je sois le dernier parent à venir chercher ses enfants.»

On pourrait dire que Katia, Dominique et Josée ont tout eu : la carrière et la famille. Mais ce «tout» n'est pas celui qu'on nous vend dans les magazines. Elles ont toutes renoncé à passer tout leur temps auprès de leurs enfants, elles ont sans doute beaucoup moins vu leurs amies qu'elles le souhaitaient. Bref, elles ont dû payer le prix pour avoir une carrière et des enfants : la course perpétuelle, le stress, la fatigue…

Deux générations de distance

Je suis allée prendre un café avec l'ancienne ministre et candidate à la mairie de Montréal, Louise Harel, et sa fille, Catherine Harel-Bourdon, présidente de la Commission scolaire de Montréal. J'étais curieuse de connaître le point de vue de ces deux femmes ambitieuses, chacune à sa façon, et issues de réalités très différentes.

« Moi, je ne pense pas que, dans un couple, les deux peuvent avoir une très grosse "job" de nos jours, en tout cas pas sans avoir des compromis et des choix déchirants à faire, me lance Catherine tout de go. Au début, quand les enfants étaient petits, c'était un peu plus moi qui restais à la maison. Mon chum travaillait pour le Cirque du Soleil et, quand il était en tournée, il travaillait beaucoup. On a même voyagé avec les deux plus vieux durant un an. Ce n'était pas facile. »

Aujourd'hui, Catherine occupe un poste qui comprend de très lourdes responsabilités (et une très grande dose de stress). Elle se considère comme chanceuse que son conjoint puisse travailler à la maison. « Quand j'étais commissaire scolaire, j'avais souvent des réunions le soir, poursuit la jeune femme. C'est lui qui faisait la routine des bains et des devoirs. »

Une situation bien différente de celle de sa mère qui, lorsqu'elle était ministre, ne voyait pas beaucoup sa fille puisqu'elle passait beaucoup de temps à Québec. « Quand j'étais à Montréal, je l'emmenais partout, me raconte Louise Harel. Je disais aux gens : "Si vous voulez me voir, si vous voulez que j'assiste à votre événement, c'est avec ma fille." Sinon je ne l'aurais pas vue. Mais dans le temps, ça ne se faisait pas, les gens ne sortaient jamais avec leurs enfants. Ça a beaucoup changé, le

Québec… À l'époque, il n'y avait que les communautés cultu-relles – Grecs, Portugais, Italiens – qui le faisaient. Chez les Québécois de souche, c'était sans les enfants.»

Contrairement à la majorité des femmes de sa génération, Louise Harel avait eu un modèle positif sous les yeux. Sa mère était l'une des rares femmes avec enfants qui travaillaient. «Ma mère a toujours travaillé, me confie l'ex-politicienne. Elle avait un salon de coiffure, elle avait des apprentis. Et elle a enseigné la coiffure à l'école secondaire.» En fait, Louise Harel descend d'une lignée de femmes fortes : sa grand-mère était elle aussi une femme d'affaires qui possédait des salons de coiffure et des boutiques de chaussures. «C'est ma mère qui a payé les études de ses enfants, me raconte Mme Harel avec une pointe de fierté. Et lorsqu'elle achetait quelque chose – un manteau de fourrure, un chalet –, elle disait que c'était mon père qui l'avait payé. Elle voulait ménager son orgueil d'homme…»

Avec un tel héritage, il n'était pas question pour Louise Harel de ne pas travailler, de ne pas envisager une carrière. Mère à 30 ans, elle étudiait en droit le matin pendant que sa voisine gardait sa fille. Et elle a repris le collier trois mois après avoir accouché. À l'époque, les CPE n'existaient pas et les gar-deries ne lui étaient pas accessibles. Elle en a bavé. Il faut dire que l'ex-ministre vient d'une époque «où les seules photos d'en-fants qu'il y avait dans le bureau de mes collègues étaient celles de leurs petits-enfants».

Une vie bien différente de celle de sa fille qui a eu son pre-mier enfant à 21 ans. «Quand j'ai appelé ma mère pour lui annoncer que j'étais enceinte, ça a été un petit choc; mais, au fond, je suis contente d'avoir eu mon premier enfant jeune, car, si j'avais attendu, je ne sais pas si j'aurais eu trois enfants. Ça demande quand même beaucoup d'énergie.»

Catherine a mis 10 ans à terminer son bac. «Je travaillais en même temps, j'avais les enfants, je suivais mes cours…»

Louise Harel note aussi que sa fille a fait des choix de carrière pour être plus proche de ses enfants.: «Lorsqu'on lui a offert un poste de recherchiste à l'émission *Le Point* à Radio-Canada, elle a dû refuser, car c'était une décision qui impliquait de larguer son conjoint qui était en tournée à New York.» Puis Catherine ajoute: «Mon chum aussi a fait des compromis, il a arrêté la tournée pour rester à la maison avec nous.»

Le travail, c'est notre identité

Au moment d'écrire ces lignes, mes filles ont 16 et 19 ans. Elles n'imaginent pas un monde dans lequel la majorité des femmes passeraient leur journée à la maison. Aujourd'hui, environ 75 % des Québécoises sont actives sur le marché du travail. La situation est semblable dans le reste du pays. Ne pas travailler est une option et certaines s'en prévalent, mais on ne peut pas dire que c'est un choix très populaire.

Pourquoi? Parce que les femmes, comme les hommes, souhaitent se réaliser personnellement, et le travail est une des principales façons d'y arriver dans notre société. C'est souvent par le travail que nous nous définissons. Il suffit d'arrêter de travailler quelque temps – pour des raisons de santé, un congé de maternité, un projet personnel – ou même de prendre sa retraite pour réaliser qu'on se sent invisible quand on ne peut plus répondre à la question: «Tu fais quoi dans la vie, toi?» Euh…

Les femmes travaillent aussi pour être autonomes financièrement, elles qui pendant des années ont dépendu du salaire
d'un homme.

Contrairement à nos grands-mères – et parfois même à nos
mères –, nous n'avons pas eu à sacrifier notre carrière et nos
ambitions pour avoir des enfants. Nous pouvions avoir les deux.
Et celles, tout de même nombreuses, qui estimaient que la
conciliation des deux était impossible, choisissaient la carrière
avant les enfants. C'est le cas de la présidente du Conseil du statut de la femme, Julie Miville-Dechêne. «Je ne croyais pas que
c'était possible d'entreprendre une carrière avec des enfants,
me dit celle qui a déjà été correspondante de Radio-Canada à
Washington. En fait, je dirais que je n'étais pas certaine de pouvoir être une bonne mère. J'ai donc repoussé mon désir d'enfant
très loin. Et je sentais très fort que je n'aurais pas pu avoir la
carrière que j'ai eue avec des enfants.»

Aujourd'hui, Julie se demande si elle a eu raison de croire
cela, ou si c'est elle qui s'est imposé des limites. «Ma mère a
élevé seule ses enfants et a tout de même eu une très belle carrière, poursuit-elle. Mais il reste qu'elle consacrait beaucoup
de temps à sa carrière et que, de mon point de vue d'enfant, cela
a probablement joué. D'autant plus que le journalisme est un
métier où la disponibilité est importante. Il fallait pouvoir
déménager de ville en ville si on voulait être correspondante
et je trouvais que c'était incompatible avec le fait d'avoir des
enfants. Je ne prétends pas que mes patrons me l'ont dit, mais
c'était tacite dans une salle de nouvelles, on comprenait dans ma
génération que c'était comme ça que les choses fonctionnaient.
Je sais que ça a beaucoup changé et j'en suis très heureuse...»

Julie me confie que son désir d'avoir des enfants est revenu en force vers la fin de la trentaine. «Je me rappelle qu'à cette époque la journaliste Nathalie Petrowski m'avait appelée parce qu'elle faisait un reportage sur la question des femmes qui repoussent le moment d'avoir des enfants. Je n'étais pas capable de lui en parler, je refusais en réalité, parce que je ne voulais pas avoir un impact sur d'autres femmes qui feraient d'autres choix. J'avais fait des choix qui pouvaient être considérés par d'autres femmes comme symboliquement discutables.»

En effet, Julie a finalement abandonné son poste de correspondante pour être auprès de son enfant. «J'aurais pu aller dans une autre ville, j'aurais pu continuer sur le circuit, mais cela impliquait de longues heures et beaucoup de voyages. J'ai réfléchi et je me suis dit : *À quoi ça sert d'avoir un enfant à 39 ans si c'est pour le confier à une nourrice et ne jamais le voir ?* C'était vraiment profond comme sentiment. J'avais de la misère à l'exprimer parce que c'était tellement différent de ce que j'avais vécu jusque-là, et ce n'était pas basé du tout sur un sentiment rationnel. Je voulais voir cet enfant grandir.»

Julie n'est pas la seule à avoir fait ce choix déchirant. Combien d'avocates, de gestionnaires et de médecins ont dû renoncer à certains plans de carrière, car leur travail semblait incompatible avec le fait d'avoir un ou des enfants ? Combien ont réalisé, une fois leur poupon dans les bras, qu'elles ne seraient plus capables de le quitter ?

La cage dorée

Étais-je bien préparée pour concilier mes aspirations professionnelles et ma vie de mère ? Les femmes de ma génération l'étaient-elles ? Je ne crois pas.

Dans les nombreux essais féministes que j'avais lus à l'adolescence et dans la vingtaine, on ne parlait jamais de maternité. On faisait comme si ça n'existait pas. Si on en parlait, c'était dans une perspective féministe où on dénonçait «l'esclavage que notre société patriarcale faisait subir aux femmes». On parlait des côtés négatifs de la maternité, de ce que ça enlevait aux femmes, pas de ce que ça leur apportait. Même la lecture des *Filles de Caleb* d'Arlette Cousture pouvait vous décourager d'avoir des enfants...

Des livres dans lesquels la maternité et la famille étaient des facteurs d'épanouissement pour les femmes, je ne me souviens pas d'en avoir lu.

Parmi les livres qui m'ont profondément marquée lorsque j'étais jeune, qui ont contribué à construire ma pensée féministe, il y a *The Feminine Mystique* (*La Femme mystifiée*) de Betty Friedan et *Toilettes pour femmes* de Marilyn French. Deux essais qui s'adressaient à des femmes beaucoup plus vieilles que moi – j'étais adolescente quand je les ai lus pour la première fois – et dans lesquels la domesticité était décrite comme un enfer duquel il fallait s'échapper. Rester à la maison pour prendre soin des enfants et «servir» un mari (c'est en ces termes qu'on le décrivait) étaient les pires choses qui pouvaient vous arriver quand vous étiez une femme. C'est avec ces images mentales que j'ai grandi.

Les premiers jours après mon accouchement, lorsque je suis revenue à la maison avec ma petite fille emmaillotée, mon corps meurtri et mes sacs de couches, j'étais sonnée. Qu'allais-je faire avec ce bébé? Je tournais en rond dans ma cuisine en me disant: *C'est ça l'enfermement domestique? Je suis prise au piège, moi aussi! Betty et Marilyn avaient raison, ma vie était finie! Au secours!*

Facebook n'existait pas encore et les groupes de discussions de mamans étaient rares. Il y avait bien quelques blogues ici et là, mais pas suffisamment pour que je me sente moins seule, pour que je puisse partager mon expérience et mes doutes avec d'autres mamans (alors qu'aujourd'hui les jeunes mères seraient abonnées à 3 ou 4 réseaux sociaux et y passeraient en moyenne 17,4 heures par semaine selon une étude américaine citée dans le webzine *Planète F*).

Heureusement, je me suis ressaisie. Bien sûr que je ne vivais pas dans la prison dorée des femmes américaines des années 1950 et 1960. Je pouvais profiter sereinement de mon enfant sans craindre de retourner en arrière, sans perdre les acquis pour lesquels les femmes s'étaient battues avant moi. Non, je ne trahissais pas le féminisme en changeant des couches et en lisant le livre de recettes de Louise Lambert-Lagacé pour préparer des purées maison à mon enfant. Les deux étaient possibles, me suis-je répété durant plusieurs mois même si, parfois, je doutais un peu. Surtout quand je pensais au solde de mon compte de banque, qui était à zéro.

Même si j'ai souvent trouvé ça lourd, si j'ai souvent remis en question mes compétences et que je me suis arraché les cheveux en relisant cent fois les mêmes passages de *Mieux vivre avec mon enfant...*, le petit livre bleu fourni par le gouvernement aux nouveaux parents, je ne regrette rien. En fait, la seule chose que je regrette, c'est de ne pas en avoir davantage profité. Car même si j'ai eu la chance de prendre une longue pause, il subsistait en moi un doute, une inquiétude qui m'empêchait d'en profiter pleinement : *Allais-je retravailler? M'aurait-on oubliée ? Et que ferais-je avec mon bébé quand j'allais recommencer à travailler ?*

Aujourd'hui, les jeunes femmes québécoises qui accouchent sont moins inquiètes, car elles savent, pour la plupart, qu'elles ont droit à un congé de maternité et que, malgré les longues listes d'attente, elles trouveront probablement une place en garderie pour leur enfant. Deux acquis auxquels je suis fière de contribuer par l'entremise de mes impôts et auxquels il ne faudrait absolument pas toucher. Mais à l'époque où j'ai eu mon premier bébé, au milieu des années 1990, les places en garderie étaient pas mal moins nombreuses. Pour tout vous dire, une des garderies où j'avais inscrit ma fille m'a rappelée… quatre ans plus tard. Ma fille était à la maternelle !

Un frein à l'égalité

Quand j'étais enfant, le concept de conciliation de la vie familiale et de la vie professionnelle n'existait pour ainsi dire pas. Normal, la plupart des mères restaient à la maison et s'occupaient de tout, du matin au soir : les soins aux enfants, les repas, le ménage.

Mon arrière-grand-mère, Claudia, a eu 20 enfants. Vingt ! Elle a accouché 18 fois (elle a eu 2 couples de jumeaux). Elle vivait sur une ferme, son mari cultivait la terre l'été et coupait du bois l'hiver, comme dans *Les Filles de Caleb*. Il partait de longs mois pendant lesquels Claudia restait seule à s'occuper de sa marmaille. On ne parlait pas de conciliation travail-famille à l'époque. La ferme ou la petite entreprise familiale faisait partie du quotidien, et tout le monde mettait la main à la pâte : les filles aînées élevaient les plus petits, les garçons aidaient sur la terre.

Mon autre arrière-grand-mère, Blanche, travaillait comme secrétaire dans le bureau d'un professionnel (avocat ou notaire, ce n'est pas clair dans la mémoire collective familiale). C'était au début du xxe siècle. Elle a travaillé jusqu'au moment d'avoir des enfants. Et elle aurait probablement continué après si l'époque l'avait permis. « Ce n'était pas une femme d'intérieur, se rappelle ma mère. Elle faisait de la belle broderie, mais elle n'aimait pas trop la vie domestique. » Si Blanche vivait aujourd'hui, elle travaillerait sans aucun doute.

Concilier sa vie professionnelle et sa vie personnelle est une notion qui est apparue plus tard, lorsque les hommes et les femmes sont allés travailler au bénéfice d'un tiers. C'est à ce moment qu'on a commencé à penser qu'il y avait quelque chose qui clochait à donner tout son temps à l'employeur au détriment des membres de sa famille.

Mais c'est à l'arrivée des femmes sur le marché du travail que cette recherche de l'équilibre est devenue un sujet de discussion sérieux. Maman n'était plus à la maison toute la journée pour faire le ménage, la lessive, les repas, superviser les devoirs. Les femmes avaient beau entreprendre ce qu'on appelle le « deuxième quart », c'est-à-dire assumer toutes les tâches ménagères une fois leur journée de travail terminée, ça ne tournait plus aussi rond qu'avant et les tensions familiales se sont exacerbées.

En 1975, le Théâtre des cuisines créait la pièce *Môman travaille pas, a trop d'ouvrage!* dans laquelle on imaginait une grève des ménagères... Ce cri du cœur était une façon de revendiquer la reconnaissance du travail domestique des épouses. Quand j'avais 10 ans, je me souviens très bien d'avoir vu sur les poteaux de mon quartier des affiches où on revendiquait un salaire pour toutes. C'était peut-être une bonne idée? Après tout, on tend à respecter davantage le travail rémunéré que le bénévolat.

Mais, une fois que les mamans travailleraient à l'extérieur, qui allait faire les lits? Vider le lave-vaisselle? Préparer les repas? Qui accompagnerait le petit dernier à son rendez-vous chez le dentiste?

Le bel équilibre qui régnait dans les familles et qui, disons-le, avantageait surtout les hommes était rompu.

Soudain, il semblait bien injuste que l'homme de la famille arrive de travailler et attende qu'on lui serve son martini. Ça ne passait plus.

C'est là que les femmes ont commencé à demander de l'«aide». Puis, peu à peu, à exiger que les hommes «fassent leur part». Pour finalement parler de «faire équipe» en discutant du partage des tâches et des responsabilités.

De nos jours, la conciliation travail-famille (ou famille-travail) est un concept qui, s'il n'est pas appliqué partout, est tout de même accepté et compris. C'est aussi un concept qui évolue. Avant, on parlait surtout de conciliation travail-famille pour les parents de jeunes enfants. Aujourd'hui, c'est devenu une réalité pour les grands-parents, qui s'impliquent de plus en plus dans la vie de leurs petits-enfants. Et pour les cinquantenaires et sexagénaires dont les parents vieillissants ont besoin d'aide pour se rendre à un rendez-vous médical, pour entretenir leur maison, etc. D'où l'importance d'aborder ce sujet, d'en faire une discussion publique puisqu'elle touche tout le monde, et pas exclusivement les parents de jeunes enfants.

Ce n'est pas un hasard si la chroniqueuse du quotidien britannique *The Telegraph*, Allison Pearson, qui a écrit le très drôle «*I don't know how she does it*» (En français, *Je ne sais pas comment elle fait*), une chronique hilarante sur la conciliation travail-famille pour une avocate mère de deux jeunes enfants, vient de reprendre du service au même journal avec une nouvelle chronique: la «femme-sandwich» est prise entre ses enfants qui ont encore besoin d'elle et ses parents qui ont de plus en plus besoin d'elle. À un moment de sa vie où elle pensait peut-être retrouver un peu de temps libre, la voilà une fois de plus tiraillée entre les besoins de chacun. C'est encore à elle que revient la responsabilité de «prendre soin». Or, impossible de «tout avoir» quand c'est à nous de «tout faire».

Ah! les pays nordiques!

Parler de conciliation travail-famille quand on est québécoise est toujours délicat, et j'imagine que les Suédoises et les Islandaises se sentent un peu comme moi. Quand on se compare aux femmes des autres pays, on se sent bien sûr privilégiées: on bénéficie d'un réseau de service de garde et d'un congé parental digne de ce nom. C'est super, mais ce n'est pas suffisant. Il reste beaucoup de travail à faire pour prétendre à l'égalité homme-femme.

J'aimerais ne pas toujours citer les pays nordiques quand je parle d'égalité homme-femme, mais, que voulez-vous, ces sociétés sont plus avancées que la nôtre sur cette question.

En Islande par exemple, un petit pays qui compte environ 320 000 habitants et où je suis allée en reportage pour *La Presse* en janvier 2015, les pères ont 3 mois de congé qui leur sont exclusivement réservés. Ils peuvent partager une autre période de congé parental de trois mois avec la mère. Or, nombreuses sont les études qui confirment que plus le père passe du temps avec son enfant lors des premiers mois de sa vie, plus il s'implique par la suite.

Les pères que j'ai rencontrés là-bas sont pleinement engagés dans l'éducation et les soins prodigués aux enfants. J'ai rencontré des couples pour qui le partage des tâches allait tellement de soi qu'ils ne comprenaient même pas le sens de mes questions. Pour eux, le partage des tâches et des responsabilités dans un couple était naturel.

Ici, contrairement aux Islandais qui ne m'ont pas donné l'impression d'être à bout de souffle, les Québécois ne semblent pas y arriver.

Selon un sondage Léger Marketing réalisé pour le Réseau Québec Famille au printemps 2014, 45 % des parents québécois dont les enfants sont âgés de 0 à 6 ans disent avoir de la difficulté à concilier travail et famille. Parmi les répondants, seulement 20 % ont dit que leur employeur avait une politique de conciliation. Autre chiffre intéressant, 40 % des mères ayant répondu au sondage se disaient distraites par des préoccupations familiales pendant les heures de travail.

« Mon chum et moi, on est venus à la conclusion qu'on y arriverait mieux si on se séparait », m'a lancé l'autre jour mon amie Sabrina qui est travailleuse autonome. Devant mon regard mi-amusé, mi-horrifié (je suis séparée du père de mes enfants, j'ai vécu de nombreuses années seule et je n'ai pas trouvé ça facile), elle m'a expliqué son raisonnement. «Mon chum, qui est entrepreneur, et moi, on n'a jamais de temps pour nous, m'explique-t-elle. On travaille comme des fous, on a une fille de trois ans et on attend un deuxième enfant dans quelques mois. Si chacun avait une semaine seulement à lui, il aurait du temps pour voir ses amis et faire du sport, ce que nous n'avons absolument pas aujourd'hui. Nous sommes épuisés.»

Sabrina ne songe pas vraiment à se séparer, mais je comprends son point. Elle met le doigt sur le bobo. Selon le sondage Léger Marketing, qui ne s'est toutefois pas penché sur le sentiment de tristesse ou de solitude de ses répondants, les parents séparés disent effectivement mieux s'en sortir que les parents qui vivent ensemble en ce qui concerne la gestion du temps. Par exemple, 61 % des parents estiment que leur travail les empêche de consacrer du temps à leur famille, alors que, chez les parents séparés, cette proportion baisse à 45 %. Cela s'explique peut-être par le fait que 33 % des parents séparés estiment que leurs employeurs s'attendent à ce qu'ils accordent la priorité au travail avant la famille, alors que cette proportion grimpe à 45 % chez les parents de familles unies. Quant aux femmes séparées, elles sont plus satisfaites de leur travail et de leur vie de famille que les mères en couple.

Il y a quelque chose qui ne tourne pas rond quand la «vie de famille» est plus satisfaisante quand la famille est éclatée. Vous me direz qu'il s'agit d'un simple sondage et que cela ne dépeint pas exactement la réalité. Je vous répondrai que ce petit sondage traduit assez bien ce qui se dégage de dizaines d'études et des centaines d'entrevues que j'ai réalisées au cours des dernières années (pas seulement pour ce livre, mais pour de nombreux reportages journalistiques). Il y a de quoi se poser des questions.

Mon congé à moi

En mai 2015, le Conseil du statut de la femme a déposé un avis dans lequel le chercheur Olivier Lamalice démontrait, études à l'appui, que les enfants, et la conciliation travail-famille dans son ensemble, bénéficieraient d'un congé de paternité plus long. Le Conseil proposait donc une mesure à coût nul (le contexte étant à l'austérité économique): transférons au père trois des huit semaines du congé parental prévu dans le régime actuel. Ces trois semaines supplémentaires pourraient être prises par le père à la fin du congé de la mère afin de faciliter son retour progressif au travail. Le père passerait ainsi plus de temps avec son enfant, ce qui accroîtrait les chances qu'il s'implique davantage lorsque les deux parents seraient de retour au travail.

J'ai applaudi intérieurement lorsque j'ai pris connaissance de l'avis du Conseil. À défaut d'augmenter le congé de paternité – ce qui n'aurait pas été accepté par le gouvernement en place qui était en train d'instaurer une série de coupes dans les budgets de l'État –, voilà une mesure qui me semblait responsable et intéressante. Surprise, ce n'était pas l'avis de la majorité des Québécois et des Québécoises.

La réponse ne s'est même pas fait attendre: «Quoi? L'État va nous dire comment gérer notre congé?» C'est la réponse que j'ai entendue le plus souvent.

Les femmes avaient en outre l'impression qu'on leur retirait un privilège. Comme si – et les études citées par le chercheur

Olivier Lamalice le confirment – ce congé leur revenait d'office.

En effet, les nombreuses entrevues réalisées par le chercheur montraient que c'étaient les femmes qui décidaient si elles prenaient tout leur congé ou si elles acceptaient de le partager avec leur conjoint. Comme si ce congé leur appartenait exclusivement.

Les Québécoises ne sont pas les seules à réagir ainsi. Quand le gouvernement britannique a voulu permettre aux couples de partager le congé de maternité, 70 % des répondants se sont opposés à l'idée. Les mères avaient le sentiment qu'on leur enlevait du temps qui leur revenait.

Loin de moi l'intention de dire aux gens comment organiser leur vie, mais les femmes devraient réfléchir et essayer de dépasser leur première réaction. Elles devraient voir les avantages à long terme d'une telle mesure. Un conjoint présent et qui s'implique dès le jeune âge de son bébé est un futur père qui s'implique auprès de ses enfants. C'est un homme qui sera plus porté à partager les tâches et les responsabilités familiales. C'est un homme qui permettra à sa conjointe de «tout avoir» sans y laisser sa peau.

Un problème de société

Quand j'ai demandé à Marie-Josée Gagnon, présidente de la firme de relations publiques Casacom, si elle croyait que les femmes peuvent tout avoir, elle m'a répondu : «Pourquoi ne pose-t-on jamais cette question aux hommes? Pourquoi est-ce toujours aux femmes qu'on demande si elles peuvent tout faire et tout avoir?»

Marie-Josée Gagnon a raison. Jusqu'ici, je le répète, la conciliation travail-famille a surtout été une affaire de femmes. Les hommes commencent à s'y intéresser. Et quand ils le font, ça reste une conversation entre gars, ils ne vont pas sur la place publique pour en parler et pour revendiquer. On conçoit encore la conciliation travail-famille comme un problème personnel, le problème personnel des femmes : «C'est à vous, mesdames, de gérer votre agenda afin d'y arriver. Vous avez voulu travailler, débrouillez-vous!» C'est le sous-texte, c'est le message que nous recevons jour après jour.

Si au moins on en retirait les avantages (autres que la richesse de la vie familiale, bien entendu). Ironiquement, avoir des enfants demeure plus payant pour les pères que pour les mères.

Je m'explique. Un homme qui est père de famille est bien vu par ses patrons. On dira de lui : «Voilà un homme stable, responsable, mature.» Il sera davantage considéré pour une promotion (à condition qu'il ne demande pas trop d'accommodements pour concilier son travail avec sa vie de famille). Alors que la mère de famille, elle, est automatiquement perçue comme un problème de gestion potentiel dans bien des milieux. On se dit qu'elle travaillera moins fort, qu'elle devra s'absenter souvent, qu'elle sera moins dévouée à son travail. Il y a même une étude qui le confirme.

En effet, des chercheurs de l'Université Cornell ont démontré en 2007 que les mères de famille gagnaient moins que leurs collègues sans enfant. Le résumé de l'étude disait : «Les auteurs ont utilisé une expérience de laboratoire pour évaluer leur hypothèse, à savoir que la discrimination basée sur le statut de parent joue un rôle important. Ils ont aussi voulu vérifier les implications de cette discrimination auprès des employeurs. Dans les deux cas, les expériences en laboratoire ont conclu que les mères étaient pénalisées à plusieurs niveaux (la compétence perçue, le salaire de départ qu'on leur attribuait). Les hommes n'étaient pas pénalisés et bénéficiaient parfois du fait d'être père. Les employeurs, eux, affichaient une attitude discriminatoire à l'endroit des mères, pas des pères.»

Des préjugés négatifs

Il n'y a rien comme les témoignages personnels pour bien illustrer un problème. Dans une série spéciale consacrée aux femmes qui ont réussi, le magazine *Fortune* publiait en mars 2015 le témoignage d'une femme d'affaires qui faisait son *mea culpa* à propos de l'attitude qu'elle affichait à l'endroit des mères de famille dans son milieu de travail. «Voici en gros ce que je pensais des autres mères avant d'avoir moi-même un enfant, confie Katharine Zaleski, ex-patronne au *Huffington Post* et au *Washington Post*, aujourd'hui à la tête de sa propre entreprise. Je roulais secrètement les yeux quand une mère ne pouvait pas se joindre à nous pour un 5 à 7 de dernière minute au bureau. Je remettais en question son engagement même si elle arrivait au travail deux heures avant mes collègues et moi qui avions la gueule de bois le lendemain. Je ne protestais pas lorsqu'une autre patronne me disait qu'elle allait se dépêcher de congédier une femme *avant* qu'elle tombe enceinte.»

Katharine Zaleski confie même avoir assisté à une entrevue durant laquelle un patron a bombardé une mère de trois enfants avec des questions du genre : «Comment allez-vous faire pour vous engager dans ce travail avec vos trois enfants?»

Katharine Zaleski l'avoue : « Je ne l'ai même pas encouragée du regard lorsqu'elle lui a répondu : "Croyez-le ou non, j'aime être loin de mes enfants durant les jours de travail, exactement comme vous." »

La femme d'affaires ajoute qu'elle adorait organiser des réunions de dernière minute à 16 h 30 pour prouver à ses supérieurs qu'elle ne comptait pas ses heures, et ce, sans aucune considération pour les collègues-parents qui avaient commencé leur journée bien plus tôt qu'elle.

Ouf ! On ne l'aurait pas voulue comme patronne, celle-là. Et disons qu'elle déboulonne le mythe de la patronne compréhensive et à l'écoute des besoins des femmes.

Vous devinez la suite ? Après avoir donné naissance à une fille, cette femme d'affaires a réalisé à quel point elle avait été horrible. Je ne sais pas s'il y a beaucoup de femmes comme Katharine Zaleski – et je ne dis pas que tous les milieux de travail sont aussi féroces –, mais une chose est certaine : à la lecture de ce *mea culpa*, on comprend mieux ce qui se cache derrière de nombreuses études sur la réalité professionnelle des mères de famille. Derrière les statistiques, il y a des affrontements, du stress, de la mauvaise foi et tellement de comportements à changer.

Parlons des vraies affaires.

Le fait d'avoir défini la conciliation travail-famille comme une affaire personnelle, un symbole de débrouillardise individuelle, cause plus de dommages qu'on ne le pense.

En effet, on hésite encore à aborder ces questions sur la place publique, à en discuter d'un point de vue sociétal. Pour l'instant, la conciliation travail-famille demeure un sujet relégué aux magazines féminins, aux colloques féministes et aux organisations qui employent surtout des femmes.

Les femmes qui occupent des postes importants dans les
entreprises hésitent à en parler publiquement. Elles n'avoueront
jamais qu'elles n'y arrivent pas ou qu'elles sont débordées.
Hélène Lee-Gosselin, professeure en management à l'Université
Laval, me le confirme. Elle l'a souvent entendu dans le cadre de
ses recherches. « Des femmes qui occupent des postes de pouvoir m'ont dit qu'elles auraient l'impression d'avouer leur
incompétence, m'explique-t-elle. Elles le diront en privé, mais
jamais en public, car la conciliation travail-famille est encore
vue comme un enjeu personnel alors que c'est un enjeu organisationnel. »

Est-ce que les femmes peuvent tout avoir ? Oui, les femmes
peuvent très bien avoir des enfants ET une carrière. Est-ce
qu'elles peuvent tout avoir et exceller dans toutes les sphères
de leur vie en même temps ? Bien sûr que non. Cela semble évident. Les hommes non plus, d'ailleurs. Et pourtant, nous l'avons
longtemps cru. La vérité, c'est que nous fantasmons encore
sur l'idée de pouvoir tout faire parfaitement, d'être une femme
parfaite et performante dans tous les domaines de notre vie.
Et ce fantasme nous rend malades.

CHAPITRE 2
De Mère courage à Mère coupable

Elle (la femme parfaite) était intensément compatissante. Elle était immensément charmante. Elle était d'une totale abnégation. Elle excellait dans les arts difficiles de la vie de famille. Elle se sacrifiait tous les jours. S'il y avait un poulet, c'est elle qui prenait la patte ; s'il y avait un courant d'air, c'est elle qui s'y mettait... Par-dessus tout, elle était pure. (traduction libre)

Killing the Angel in the House, Virginia Woolf, 1931

Tapez « culpabilité maternelle » dans Google et vous serez renversé par le nombre d'articles sur le sujet.

« Culpabilité maternelle : le malaise moderne », « Quand maman rime avec culpabilité », « Tétine et culpabilité maternelle », « Quand les mamans se sentent coupables »... Et ça continue ainsi pendant des pages et des pages.

À croire que le sentiment de culpabilité apparaît dès les premiers mois de la grossesse et ne quitte pratiquement plus les mères par la suite.

Dans un sondage réalisé auprès de 5 000 mères par le site britannique Baby Center, 94 % des répondantes avouaient ressentir de la culpabilité à propos d'un aspect de leur vie de parent. Vous avez bien lu, 94%...

Une autre enquête réalisée auprès de 1 300 parents et publiée dans le livre *Mommy Guilt: Learn to Worry Less, Focus on What Matters Most, and Raise Happier Kids*, paru en 2005, affirmait que 96% des répondants se sentaient tous coupables d'au moins une chose, que ce soit du temps passé en famille, de leur choix de carrière, d'avoir crié ou perdu patience avec leur enfant...

Un troisième sondage, réalisé en 2013 pour le magazine *Mother & Baby* auprès de 1 000 femmes, concluait pour sa part que plus de la moitié des mères qui occupent un emploi se sentent coupables de laisser leur enfant à la maison. Qu'elles soient caissières dans un supermarché ou présidentes d'entreprise ne faisait aucune différence. Elles disaient toutes souhaiter passer plus de temps auprès de leur enfant même si, dans le même souffle, la majorité d'entre elles estimaient malgré tout qu'elles donnaient un exemple positif à leur enfant en allant travailler.

Lors d'une journée Femmes et Leadership organisée par le groupe Infopresse à l'automne 2015, j'ai animé un entretien dont le sujet était l'entrepreneuriat. Parmi les conférencières, Diane Giard, première vice-présidente à la direction, Particuliers et entreprises à la Banque Nationale, expliquait que la culpabilité des femmes était liée à leur perfectionnisme, et c'est ce qui les différenciait des hommes dans le milieu des affaires. «Le midi, par exemple, les femmes restent devant leur ordinateur jusqu'à ce que leur travail soit 100% parfait. Les hommes, eux, se contentent de 80% et vont prendre leur heure de lunch pour aller réseauter.»

Directrice pour le Canada chez Mobius Executive Leadership, Valérie Pisano, 38 ans, confirme les dires de Diane Giard. La jeune femme, mère de trois enfants, se souvient que, lorsqu'elle travaillait au sein de la firme de consultants McKinsey & Co., elle avait toujours l'impression de ne pas en faire assez. « J'avais accompli toutes mes tâches, mais je me sentais coupable de partir avant mes collègues masculins pour rentrer à la maison auprès des enfants. »

Mais de quoi les femmes se sentent-elles coupables au juste ? J'exagérerais à peine si je répondais : de tout. Les mères se sentent coupables d'en faire trop, de ne pas en faire assez, de ne pas consacrer assez de temps à leur famille et de ne pas passer suffisamment d'heures au travail. Elles culpabilisent à l'idée de ne pas confectionner de petits plats maison à leur marmaille, de ne pas avoir assisté à toutes les activités scolaires et parascolaires du petit dernier, de ne pas faire suffisamment d'activités avec leur enfant durant le week-end. Sans compter la culpabilité qu'elles ressentent parce qu'elles ne font pas assez de sport, n'ont plus de temps pour leurs amies et encore moins pour passer du temps en tête-à-tête avec leur conjoint.

« Le problème des femmes, c'est qu'elles veulent trop de choses, a tranché mon amie France lorsque je lui ai parlé de mon projet de livre. Les hommes n'ont pas nos problèmes parce qu'ils ne veulent pas tout à la fois. Ils se contentent de ce qu'ils ont. Notre problème, c'est qu'à trop vouloir de choses nous ne savons plus ce que nous voulons vraiment. »

Le problème c'est qu'actuellement les mères ne sont plus seulement responsables de l'éducation des enfants et de l'espace domestique, elles assurent aussi le revenu (parfois l'unique revenu) de leur famille. Et on les rend responsables de presque tout. Pas surprenant qu'elles se sentent coupables.

« On a tendance à vouloir être meilleure à la maison parce que, traditionnellement, on a été élevées comme ça, avec des mères qui étaient très présentes », me lance Dominique Anglade. Lorsqu'elle était à la tête de Montréal International, Dominique avait beaucoup de responsabilités et son emploi l'amenait à voyager et à travailler de longues heures. Elle dirigeait également une fondation, KANPE, qui amasse des fonds pour Haïti, avec son amie Régine Chassagne du groupe Arcade Fire. Sans compter toutes les activités paraprofessionnelles auxquelles elle participe. Bref, c'est une femme à l'horaire très chargé.

Est-elle de ces mères qui se torturent parce qu'elles ne sont pas assez souvent à la maison? Elle m'assure que non, mais me raconte une anecdote. « C'est quelque chose qui m'a fait un gros pincement au cœur récemment, me souffle-t-elle. Un de mes enfants, ma deuxième, m'a dit l'autre jour: "Maman, tu es la meilleure maman au monde, tu es extraordinaire, tu es la deuxième personne que j'aime le plus au monde…" »

La deuxième? Comment ça, la deuxième? La première, c'était sa nounou.

« J'ai failli m'évanouir, poursuit Dominique. Je suis allée voir mon chum et je lui ai raconté ce qui venait de se passer. Vous savez ce qu'il m'a répondu? "Ne t'inquiète pas, je suis quatrième sur sa liste…" (rires) Les pères dédramatisent beaucoup les choses, ce sont de bons compagnons de route parce qu'ils dédramatisent aussi pour toi… Ton absence, ce que tu fais. Mon mari me dit souvent: "Les enfants te voient bien assez, regarde, ils vont bien, ils ont l'air heureux." »

Aux yeux du mari de Dominique Anglade, la culpabilité est une perte de temps. «Ça m'a beaucoup aidée à ne pas ressentir de culpabilité, me confie-t-elle. Et puis la réponse de ma fille, c'est le prix à payer lorsqu'on a une carrière. On ne peut pas tout avoir.»

Alors pourquoi les femmes se sentent-elles si coupables si elles savent qu'il y a un prix à payer pour avoir une carrière? «Parce que je veux que mes enfants disent de moi que j'ai été une bonne mère, me répond Dominique. Moi, je m'en fous qu'ils soient fiers de moi et qu'ils m'admirent, ça ne m'intéresse pas. Je veux juste avoir été une bonne mère.»

Le guide de la femme parfaite

Un jour, mon amie, la réalisatrice et artiste Sophie Lambert, m'a invitée à participer à *Vente de garage*, une activité qu'elle avait organisée et qui consistait à troquer un objet dont nous ne voulions plus contre un autre objet dont quelqu'un d'autre voulait se débarrasser. C'est ainsi que j'ai échangé un bibelot assez insignifiant qui trônait dans mon salon contre un objet qui, à mes yeux, était un véritable trésor: *L'Encyclopédie de la femme canadienne* de Michèle Tisseyre, un ouvrage publié en 1966 et qui renferme tellement de perles que je pourrais ouvrir une bijouterie. (Merci à son ex-propriétaire, la réalisatrice Nathalie Pelletier, de l'avoir cédé!)

Il suffit de feuilleter ce livre rose (évidemment) pour réaliser tout le chemin parcouru au cours des dernières décennies.

Volumineux (il fait 1 056 pages!), c'est le guide ultime de la femme parfaite. On y traite de tous les aspects de la vie quotidienne: beauté, santé, vie domestique, vie conjugale et éducation des enfants. L'encyclopédie consacre pas moins de six pages (six!) au repassage, la plus grande partie de l'exposé portant bien entendu sur le repassage d'une chemise... d'homme!

On y apprend aussi comment entretenir le linge, préparer le thé, se débarrasser de la cellulite, galber ses mollets, soigner ses enfants, assembler un bouquet de fleurs, faire un budget, etc.

Le chapitre intitulé «L'organisation de votre métier de femme» en dit long sur tout ce qu'on attendait des femmes à l'époque (l'encyclopédie a été publiée il y a 50 ans).

Je vous cite un long extrait qui vous fera sourire... ou peut-être grincer des dents.

«Une étude a démontré que si la maîtresse de maison-mère de famille était payée au tarif syndical, pour chacune des activités qu'elle déploie, elle aurait droit à un salaire annuel égal à celui d'un médecin ou d'un avocat. Or, non seulement elle n'est pas payée, mais ce qu'elle gagne lorsqu'elle travaille au-dehors est généralement versé dans la caisse familiale pour améliorer la vie commune! Sa récompense, c'est le bonheur, le bien-être des siens.

«Est-il besoin de rappeler combien la femme d'aujourd'hui – malgré toute l'aide que lui apportent les appareils ménagers perfectionnés – doit faire preuve de ressources surhumaines? La préparation des repas, le lavage, le repassage, l'entretien de la maison, les enfants..., et la corvée de vaisselle qui revient trois fois dans la journée!

«Le métier de maîtresse de maison suffit largement à remplir la vie d'une femme lorsqu'elle reste chez elle. Que dire lorsqu'il vient se doubler d'une activité professionnelle à l'extérieur? Il pose alors des problèmes presque insurmontables, demande des prodiges d'ingéniosité et de rapidité d'exécution alors que la fatigue de la journée pèse plus lourdement sur vous!

«C'est le moment où les vôtres rentrent à la maison. L'atmosphère familiale qu'ils attendent, c'est encore vous qui devez la créer: le sourire, une bonne table, l'intimité du foyer. Vous venez de terminer un travail; une autre tâche vous attend, inéluctable. Aussi est-il capital d'apprendre à organiser votre journée, à suivre un emploi du temps précis et simplifié, à économiser vos gestes, votre fatigue et surtout... vos nerfs.»

Ouf!

En le lisant, je n'ai pu m'empêcher de penser que, à quelques différences près, il y a certains passages qui ressemblent à des articles publiés dans des magazines féminins aujourd'hui. D'abord, l'obligation pour les femmes d'être parfaites en tout temps. Et cette idée, encore bien présente dans de nombreuses familles, que le bon fonctionnement de la maison et de la famille repose presque exclusivement sur les épaules des femmes. Quand on regarde la tonne de livres sur le marché qui s'adressent à elles et qui leur assènent mille et un conseils pour jongler avec leur vie professionnelle et familiale tout en affichant une apparence parfaite, on comprend qu'elles soient épuisées. Encore récemment, je lisais un article à propos d'un livre sur la microgymnastique. «*Micro-gym* nous permet d'utiliser chaque temps mort pour faire un léger exercice ni vu ni connu, écrivait-on. Que ce soit au bureau, à la maison, au supermarché, devant la télévision, en voiture ou dans le métro, partout, en toute discrétion, avec [de] petits mouvements, on peut se muscler et se détendre tout en ayant un maintien impeccable, sans trop d'efforts. » Finalement, on n'est pas si loin de l'encyclopédie de la femme de 1966…

Et après, on se demande pourquoi les femmes se mettent de la pression. Tapez « *working mom* » dans le moteur de recherche de la librairie en ligne Amazon, par exemple. Vous y trouverez des dizaines et des dizaines de titres consacrés à la conciliation travail-famille. Des livres qui s'adressent exclusivement aux femmes. Tapez ensuite « *working dad* ». Vous verrez que la récolte est pas mal plus mince. On trouve seulement quelques titres sur la conciliation travail-famille destinés aux hommes. Parce qu'en vérité l'expression « *working dad* », ou « père qui travaille », n'existe pas. On dit « homme », tout simplement.

À qui la faute ?

Mon mari me dit souvent : « Les filles, vous vous mettez trop de pression. Personne ne vous en demande autant. Vous êtes les artisanes de votre propre malheur. »

Il n'est pas le seul à dire ou à croire cela. Les femmes sont-elles vraiment trop exigeantes envers elles-mêmes ? Placent-elles la barre trop haut ? Et si oui, d'où viennent ces attentes inatteignables ?

N'est-ce pas un peu réducteur de ramener tout ça à une dimension personnelle et individuelle ? J'avoue que je ne suis pas d'accord avec mon mari lorsqu'il rejette la faute exclusivement sur le dos des femmes.

Si les attentes sont si élevées à notre endroit, et si nous nous sentons souvent inadéquates, c'est que le message pro-perfection est omniprésent dans la société. Un message insistant, parfois subtil, parfois gros comme le nez au milieu du visage, qui répète *ad nauseam* que les femmes doivent être ceci, qu'elles ne doivent pas être cela, qu'elles doivent utiliser chaque instant pour être encore plus performantes.

Qu'il s'agisse du parcours professionnel des femmes, de leur choix de carrière, de leur apparence physique, de l'éducation de leurs enfants ou de leurs compétences domestiques, les femmes sont toujours jugées et doivent toujours être au mieux de leur forme. C'est ce sentiment d'être constamment évaluées et comparées aux autres qui les pousse à agir comme elles le font. À exceller à s'en rendre parfois malades.

Au fond, encore aujourd'hui, elles doivent prouver qu'elles méritent leur place dans le monde du travail et dans la sphère publique. Elles se montrent rassurantes en promettant que le reste de leur vie, associé au rôle traditionnel qui leur a toujours été assigné, ne souffrira pas du fait qu'elles travaillent à l'extérieur de la maison. Quant à celles qui occupent des emplois très prenants, elles devraient presque se sentir coupables de ne PAS se sentir coupables...

C'est le cas de Dominique Anglade qui, lorsqu'elle a eu son premier enfant à 33 ans, a découvert que la vie de maman à la maison ne lui convenait pas du tout. « Je ne suis pas une maman dans ce sens-là, reconnaît-elle aujourd'hui. Je dis toujours que le congé de maternité devrait avoir lieu quand l'enfant a quatre ans tellement c'est "l'fun" à cet âge. Moi, après cinq semaines avec mon fils, j'ai réalisé que cela allait être très difficile de rester à la maison. Il fallait que je trouve un équilibre là-dedans. J'ai eu de l'aide et j'ai fait autre chose en même temps. Après cinq semaines j'ai dit : "OK, j'en ai assez, je retourne travailler."

«Mon entourage était horrifié. Mais la vérité, c'est que je n'étais pas bien là-dedans.

«Plus tard, quand mon fils a eu six mois, je suis partie à Haïti pour le travail et, au retour, je me suis arrêtée à Montréal voir mes parents avant de retourner à Vancouver, où j'habitais à l'époque. Mon père m'a demandé: "Puis ton fils t'a manqué?" Je lui ai répondu: "Non, il ne m'a pas manqué."

«Il m'a regardé et m'a dit: "C'est correct qu'il ne t'ait pas manqué, mais ne répète ça à personne. Les gens vont penser que tu es une marâtre."(rires)»

Dominique était en quelque sorte coupable de ne pas se sentir coupable.

Les mères qui ne correspondent pas à l'image de la maternité qui s'est imposée dans nos sociétés – une mère dévouée, toujours disponible et qui fait passer les besoins de ses enfants et de sa famille avant les siens – dérangent, bousculent les idées reçues. Elles sont également jugées, montrées du doigt.

C'est ce qui explique que, encore de nos jours, une première ministre se sentira obligée de dire en entrevue qu'elle prépare les repas de ses enfants ou qu'une présidente d'entreprise rassurera son interlocuteur en lui affirmant qu'il n'y a rien qu'elle aime plus que de recoudre un bouton, de faire l'épicerie ou de passer l'aspirateur. Comme si elles voulaient nous rassurer en nous disant: «Le pouvoir ne m'a pas fait perdre mes compétences de mère ni mes qualités féminines. Ne vous inquiétez pas, je suis nor-ma-le.»

«La première question que les journalistes me posaient lorsque j'étais en politique, c'est: "Comment vous allez faire pour concilier votre vie politique et votre vie de mère?" C'était la question incontournable, me confie Louise Harel. Je leur disais: "Je vous répondrai quand vous poserez la question à M. Bourassa et M. Lévesque."»

La société se permettait, et se permet encore, d'avoir un jugement sur la façon dont une femme joue son rôle de mère. Cette femme est-elle une bonne ou une mauvaise mère? La voisine, la collègue de bureau, la patronne ou l'employée qui ont des enfants sont constamment jaugées à la lumière de cette question.

Une chef d'entreprise confie en entrevue qu'elle travaille plus de 50 heures par semaine? Une journaliste part trop souvent en reportage à l'étranger? Une restauratrice avoue que les semaines sont longues aux fourneaux d'un restaurant? Tout le monde posera la même question: «Mais qui s'occupe de ses enfants?» Une question qu'on ne pose jamais aux hommes.

Non coupable, votre honneur

«Les sociétés occidentales sont les seules à considérer la femme comme unique responsable des soins de l'enfant, les seules à croire que la mère exclusivement joue un rôle dans le développement de l'attachement de son enfant», écrivait Margaret Mead en 1954.

Les choses n'ont pas tellement changé. Or, nous ne sommes pas seules responsables de l'éducation de nos enfants. Les pères et la communauté qui nous entoure ont leur rôle à jouer. «Ça prend un village pour élever un enfant», dit le proverbe africain. Mais au-delà du cliché, que dit-on vraiment quand on affirme cela?

Marie-Josée Gagnon est présidente et fondatrice de Casacom. Elle a également été l'attachée de presse de Jacques Parizeau dans les années 1990. C'est une femme de carrière, très en vue, pour qui la réalisation professionnelle compte pour beaucoup. C'est aussi la mère de 2 garçons de 8 et de 15 ans. Et c'est une des rares femmes qui m'affirment sans ciller qu'elle ne se sent jamais coupable. «C'est un sentiment que je ne ressens pas, m'assure-t-elle. Moi, ça ne me dérange pas de partager mes enfants avec les autres. Il n'aurait pas fallu que j'aie des enfants qui s'accrochent à moi, car cela aurait été difficile.

«L'autre jour, poursuit-elle, mon plus jeune fils a pris le téléphone et il a appelé sa gardienne pour lui dire qu'il l'aimait. Est-ce que j'ai senti le moindre début de jalousie? Aucune. Je sais qu'il a juste une mère.

«Mon aîné a une deuxième maman, une belle-maman, qui est extraordinaire avec lui, et je trouve cela fantastique que ça se passe bien. Je sais qu'il n'a qu'une mère. Moi, je veux seulement que mon fils soit heureux.»

Dominique Anglade et Marie-Josée Gagnon sont des cas rares, mais elles ne sont pas seules. J'ai rencontré au moins une autre mère qui dit ne jamais se sentir coupable: Annie Desrochers, animatrice de l'émission du retour à la maison *Le 15-18* sur ICI Radio-Canada Première et maman de cinq enfants. Preuve que la culpabilité est un sentiment répandu et commun chez les femmes, Annie se demande en riant si elle est normale de ne pas la ressentir. «J'en parlais avec une amie l'autre jour et je lui demandais: "Coudonc, est-ce que je manque d'empathie?" raconte-t-elle en riant. Moi, c'est simple: quand je suis là, je suis là, et quand je n'y suis pas, il arrive ce qui arrive. Un moment donné, il faut accepter de décrocher.»

Pour Josée Boileau, la question de la culpabilité a déjà été présente, mais elle a vite été évacuée. «Au début, quand j'ai eu ma fille, je me suis sentie coupable de ne pas partager avec les autres mères cette fixation sur mon enfant, me confie-t-elle. Je me disais: *Je ne suis pas normale, je n'ai pas le sentiment maternel.* Mon chum me répondait: "C'est pas grave, moi, je l'ai." Mais t'as beau ne pas vouloir être dans la performance maternelle, quand t'arrives la dernière à la garderie, que t'as pas préparé le gâteau pour l'école, que tu n'étais pas à la sortie, tu te sens toujours un peu coupable. Ensuite, je me suis sentie coupable de ne pas préparer les lunchs, de ne pas confectionner des muffins, de ne pas prendre mes dimanches après-midi pour cuisiner... Mais je me disais: *Je ne peux pas juste être une travailleuse et une mère, je veux sortir, voir du monde, voir mes amies, mon chum...* Le secret, c'est de lâcher prise. Les gars nous l'apprennent, car ils l'ont naturellement.»

Je le disais, ces femmes sont les exceptions qui confirment la règle. Car la plupart des femmes – et même certains hommes – carburent à la culpabilité parentale.

Le problème avec la culpabilité, c'est qu'elle peut être un véritable frein à l'ambition et à la réalisation de soi. Lorsqu'une femme souhaite avoir une carrière et occuper des postes stratégiques, elle doit se débarrasser du sentiment de culpabilité qui pourrait ralentir ses ardeurs.

Les garçons de ma collègue, Katia Gagnon, étaient âgés de 6, 8 et 10 ans lorsqu'elle a accepté le poste de directrice adjointe à l'information. Dans le milieu journalistique, tout le monde sait que c'est un poste tue-monde qui exige qu'on soit disponible pratiquement 24 heures sur 24. Peu de femmes proposent leur candidature.

Or, et je le dis sans flagornerie, Katia a été une super directrice adjointe. Et je suis certaine que ses trois fils, auprès de qui elle s'implique beaucoup, pensent toujours qu'elle est la plus formidable des mères.

Cela dit, après deux ans d'un régime d'enfer, Katia a quitté son poste. Son médecin craignait qu'elle fasse une dépression tellement elle était épuisée.

Katia aurait dû se sentir fière d'avoir accompli cette tâche titanesque, d'avoir été une des rares femmes, mère de plusieurs enfants, à occuper ce poste. Mais ce n'est pas ce qui s'est produit.

Quand elle a lu *Lean In* de Sheryl Sandberg, un livre qui implore les femmes de ne pas se retirer du marché du travail, de ne pas renoncer à leurs ambitions même si elles souhaitent fonder une famille, Katia s'est sentie coupable. « Je me suis sentie mal, avoue-t-elle. J'ai eu des regrets, je me disais : *Moi aussi, je suis partie, j'aurais dû continuer, ne pas lâcher.* » Elle dit cela et, dans le même souffle, elle m'avoue avec émotion regretter plusieurs moments avec sa famille, des moments que ses fils lui ont racontés, mais auxquels elle n'a pas pu assister, car elle devait être au travail.

Alors que ses collègues l'admiraient en se demandant comment elle faisait pour tout concilier, Katia, elle, se sentait coupable de ne pas en faire suffisamment à la maison et au travail.

À qui la faute ?

Depuis quelques années, la manière dont on culpabilise les mères s'est raffinée. Elle est plus sophistiquée. Avant, les mères se sentaient responsables de la bonne tenue de leur maison et de leur enfant : la maison était-elle propre ? L'enfant était-il poli, bien élevé ? Se conduisait-il bien à l'école ?

Un enfant turbulent attirait tout de suite l'attention vers sa mère. On disait : « Elle n'a pas su faire son travail comme il faut si son enfant se conduit ainsi... »

Aujourd'hui, le blâme est plus pernicieux. On ne montrera pas du doigt la mère d'un enfant dont la chemise n'est pas immaculée ou les cheveux pas très propres. À moins de vivre dans le 16e arrondissement à Paris ou dans l'Upper East Side à Manhattan, ce genre de lacune n'est pas très « grave ».

Par contre, on attend de la mère des années 2000 qu'elle détecte le moindre problème de santé ou de comportement de son enfant, et ce, avant même qu'il se déclare. On exige de la mère qu'elle soit une agente de « prévention », une spécialiste de la santé mentale et physique de son enfant.

Personnellement, j'essaie de résister, mais je ne réussis pas toujours. C'est pour cette raison que, tous les matins, je me lève pour préparer le petit-déjeuner de mes filles qui ont amplement l'âge de se le préparer toutes seules, comme me le répètent plusieurs amis bien intentionnés. Qu'est-ce qui me motive ? C'est simple, je veux que mes filles aient une bonne alimentation et de l'énergie durant la journée. Je leur prépare donc des *smoothies* bourrés de fruits, de yogourt grec (pour les protéines), de graines de chia et de graines de lin pour les oméga-3, les antioxydants, etc. En préparant ces boissons santé, j'ai l'impression de « bien faire ». Est-ce que je me déculpabilise par rapport à d'autres aspects de mon rôle de mère que je considère comme moins réussis (je ne fais pas de sport avec mes enfants, je déteste les jeux de société et je ne leur ai pas montré à coudre, car je ne sais pas coudre un bouton moi-même)? Peut-être. J'en parle à mon psy et je vous reviens...

Comme bien des mères, je suis sensible au discours ambiant qui est la plupart du temps culpabilisant. Prenez tout ce qui ne tourne pas rond avec les enfants: maladies, allergies, problèmes scolaires, difficultés relationnelles, retard de développement, niveau de langage, temps passé devant un écran, embonpoint...

Le parent (surtout la mère) doit désormais se substituer aux spécialistes et être capable de déceler chez son enfant tout ce qui ne tourne pas rond, et ce, dès le plus jeune âge.

Et si elle trouve un problème, il est probablement le résultat d'un manque de sa part. A-t-elle allaité son enfant? Passe-t-elle suffisamment de temps à le stimuler? À lui lire des histoires? À développer sa motricité fine? À le préparer à apprendre une langue étrangère? À stimuler ses goûts gastronomiques, musicaux, littéraires?

Doit-elle le médicamenter (pensons au TDAH) qu'on l'accusera de «droguer» son enfant parce qu'elle ne prend pas le temps d'être auprès de lui, de lui offrir un traitement plus naturel, de jouer son rôle de parent...

Tous ces spécialistes interviewés dans les journaux – et avec qui un parent ne pourra probablement jamais obtenir de rendez-vous, car les listes d'attente sont trop longues –, ces orthophonistes, psychologues, ergonomes, pédiatres, etc., donnent des conseils adressés aux mères afin qu'elles deviennent la médecin-professeur-*coach*-tutrice de leur enfant. À la fin, comment ne pas se sentir écrasée par la culpabilité si son enfant ne réussit pas dans toutes les sphères de sa vie ? On a visiblement échoué quelque part.

Personnellement, j'essaie de plus en plus de me tenir loin d'une certaine littérature qui s'adresse aux parents parce que je me sens trop coupable. Les problèmes en mathématiques de la plus jeune, le désintérêt de mon aînée pour les sports ?... Sans doute de ma faute. Un jour, ma fille a souffert d'une luxation de la rotule et vous savez quoi ? Je me suis sentie coupable. Elle ne fait pas suffisamment d'exercices pour renforcer les muscles de son genou. *C'est de ma faute*, me suis-je dit.

Je suis peut-être folle de penser ainsi, mais je suis certaine que je ne suis pas la seule.

Comme par hasard, ces textes et entrevues avec des spécialistes sont toujours publiés dans des magazines et des sections de journaux qui s'adressent d'abord aux femmes. Étrange, n'est-ce pas ? Je n'ai jamais vu ce type de texte dans *GQ* ou *Esquire*, deux magazines destinés aux hommes.

Je ne dis pas que les pères ne se soucient pas des performances scolaires ou de la santé de leur progéniture. Mais le discours dominant (celui des médias et aussi ceux de la santé publique, du monde de l'éducation, etc.) s'adresse encore à la mère, en tenant pour acquis qu'elle est la principale responsable du soin et du bien-être des enfants, comme dans les années 1950 et 1960. C'est là que la culpabilité prend sa source. Dans cette responsabilisation exclusive de la mère qui débute dès les guides de préparation à la maternité.

Au fond, quand on creuse un peu plus, le message est limpide : si seulement la mère ne travaillait pas à l'extérieur de la maison, si elle veillait de près à l'évolution et l'éducation de ses enfants, il n'y aurait plus de problèmes, plus de maladies.

Car les difficultés de l'enfant sont aussi, d'une certaine façon, l'échec de la mère qui n'a pas réussi à être suffisamment présente, suffisamment attentive.

On ne le dit pas comme ça, mais c'est ce qu'on comprend en lisant entre les lignes.

La femme, ennemie de la femme?

Dans un épisode de la troisième saison de la série politique *House of Cards*, le candidat à la présidence des États-Unis, le machiavélique Frank Underwood (interprété par Kevin Spacey), ordonne à son éventuelle colistière, l'ambitieuse Jacqueline (Jackie) Sharp, d'attaquer l'autre candidate à la chefferie démocrate, Heather Dunbar, dans un débat télévisé à trois. Il veut qu'elle lui reproche d'avoir envoyé ses enfants à l'école privée et l'accuse de ne pas avoir voulu s'en occuper.

Jackie est plus qu'hésitante à attaquer personnellement une autre femme et à invoquer publiquement ses enfants ainsi que son rôle de mère, mais Underwood lui assure que les choses ne peuvent être autrement, car les mêmes attaques, de la part d'un homme, seraient perçues comme sexistes, voire misogynes.

Jackie finit par accepter, par pure ambition. Et balance à sa rivale : « Pourquoi avez-vous envoyé vos enfants à l'école privée ? Parce que vous ne vouliez pas vous en occuper ? »

Jackie regrette ses paroles au moment même où elle les prononce. Son adversaire est quant à elle profondément dégoûtée par la manœuvre, tout comme l'auditoire qui laisse entendre un murmure de désapprobation.

Cette scène en dit beaucoup sur la place de la femme dans les sociétés occidentales : comment tente-t-on de miner la crédibilité d'une femme qui rêve d'être présidente des États-Unis ? Pas en s'attaquant à ses idées ou à ses positions, mais bien en la ramenant à son statut de mère et en jugeant négativement ses compétences maternelles.

Autre aspect intéressant de cet épisode : Frank Underwood demande à une femme d'attaquer une rivale, il met des mots dans sa bouche, des mots avec lesquels elle est mal à l'aise. D'un côté, on insiste sur le fait que Jackie aurait une tendance naturelle à être solidaire avec Heather, mais, de l'autre, on montre que l'ambition l'éloigne de ses qualités « naturelles » et la transforme en personne méchante et manipulatrice.

Finalement, il y a le regret et la honte de Jackie de s'être mal conduite, alors que des personnages masculins font pire que ça depuis le début de la série, sans jamais éprouver de regret. Peu importe sous quel angle on analyse cette scène, elle enferme les femmes dans des stéréotypes puissants. En quelques minutes se superposent des images toutes plus négatives les unes que les autres : la femme manipulée, manipulable, destructrice, ambitieuse, peu sûre d'elle. Les clichés ont la peau dure…

On dit souvent que les pires juges des femmes sont les autres femmes.

C'est vrai qu'elles s'évaluent et se jugent entre elles. Elles peuvent parfois être très dures. Plusieurs mères me l'ont dit : la mère à la maison juge celle qui travaille, et vice-versa. Mais je dirais que, la plupart du temps, elles sont surtout solidaires et empathiques l'une envers l'autre. On perpétue ce cliché des femmes qui se déchirent entre elles, car, dans une société dominée par les hommes, disons que ça tombe bien de diviser les femmes. Imaginez un instant qu'elles se liguent? Leur force de frappe serait terrible.

Le nouveau modèle mieux que l'ancien

Les années 2000 ont vu naître une toute nouvelle catégorie de mères – les imparfaites, les au-bord-de-la-crise-de-nerfs, les je-mène-ma-vie-comme-je-l'entends –, des mères qui, à première vue du moins, semblaient libérées de cette culpabilité envahissante et paralysante.

Cette génération de mères décomplexées – dans les médias québécois, il y a eu les *Chroniques d'une mère indigne* de Caroline Allard et le site Les (z)imparfaites de Nadine Descheneaux et Nancy Coulombe – est arrivée comme un vent de fraîcheur. Et on peut dire que leur discours a eu un impact. Dans les années qui ont suivi, on a vu apparaître un contre-discours de la maternité beaucoup moins culpabilisant. Plutôt que de viser la perfection, on prônait une vie équilibrée, une meilleure estime de soi, un poids santé et une maison en désordre. À lire tous ces livres, ces chroniques et ces articles publiés au cours des dernières années, on était presque portés à croire que les mères québécoises s'acceptaient complètement, qu'elles étaient adeptes de la *dolce vita*, toujours un verre de vin à la main, entourées de copines dans un 5 à 7 perpétuel où les problèmes du quotidien ne semblaient plus les atteindre. Le ton était enjoué, décoincé, relax. Les mères avaient du plaisir et elles voulaient que ça se sache.

On me dira que le mouvement des mères imparfaites est un contre-discours intéressant à celui, dominant, des mères parfaites. C'est vrai, j'ai déjà partagé cet avis.

En effet, quand j'ai eu ma première fille, le livre que toutes les futures mamans s'offraient en cadeau s'intitulait *Comment ne pas être une mère parfaite*. Rédigé par la journaliste britannique Libby Purves, c'était une charge à fond de train contre les diktats de la maternité, un véritable cri du cœur qui exprimait avec beaucoup d'humour le ras-le-bol de certaines femmes qui en avaient marre du modèle imposé.

Imaginez, on était en 1996, bien avant la mode des mamans-vedettes, de la guerre des mères, de la *mommyrexie*, ce phénomène où les futures mamans ne prennent pas un gramme et où, une fois qu'elles ont donné naissance, s'empressent de retourner au gym et de crier haut et fort qu'elles ont repris leur poids d'avant la grossesse.

C'était bien avant les réseaux sociaux, les albums de photos des petits chérubins sur Facebook et la présence de North, l'aînée chérie de Kim Kardashian et de Kanye West, aux défilés de la semaine de la mode à New York et à Paris.

Pourtant, avec les années, j'ai l'impression que ce discours s'est fait prendre à son propre jeu. La mère imparfaite ou indigne s'est à son tour transformée en modèle. Ce qui devait être un cri libérateur est presque devenu un boulet aux pieds des mamans d'une certaine génération. Soudain, si on ne traînait pas notre bébé dans un 5 à 7 où les mamans-pas-parfaites enfilent les verres de *vino* «parce qu'elles le méritaient bien», on n'était pas cool. J'ai vu des «mères imparfaites» juger des mères-trop-parfaites en leur disant de lâcher prise et d'adopter la «*cool attitude*». Or, le but des mères imparfaites n'était-il pas justement de laisser les jugements au vestiaire? On a voulu se débarrasser d'un modèle contraignant, mais on l'a remplacé par un autre modèle qui impose, lui aussi, ses obligations rigides. L'obligation d'être cool, de ne pas trop en faire. La maternité décalée, en quelque sorte. Sans compter que cette volonté de ne pas juger, finalement, échouait un peu. En disant d'une mère qu'elle était indigne ou imparfaite, au fond, on reproduisait le cliché que la mère doit avant tout être digne et parfaite.

À la longue, j'en suis venue à me demander s'il était possible d'être mère sans porter une étiquette, sans devoir absolument rentrer dans un mouvement ou une petite case. Est-ce possible d'être la mère qu'on souhaite être sans être jugée? Parfois, j'en doute.

Les bons côtés du travail

Heureusement, il y a de bonnes nouvelles. Les mères qui travaillent à l'extérieur ne seraient pas toutes des monstres qui gâchent la vie de leur enfant. La première bonne nouvelle nous arrive de Boston. Il s'agit d'une étude réalisée par la Harvard Business School qui a compilé des données en provenance de 24 pays, dont les États-Unis. Les chercheurs concluent que les enfants des femmes qui travaillent à l'extérieur de la maison, en particulier les filles, auront plus tard une meilleure carrière, un meilleur salaire et une relation plus égalitaire que les enfants de femmes qui sont restées à la maison. En outre, ces filles gagneront plus (environ 4%) et auront plus de chances d'être nommées à des postes de direction. Ces conclusions sont particulièrement intéressantes en ce qui concerne des pays comme l'Angleterre et les États-Unis, où l'égalité homme-femme n'atteint pas les mêmes seuils que dans les pays scandinaves, par exemple.

Les auteurs de l'étude précisent que, «peu importe si les mères et les pères restent à la maison ou travaillent à temps complet ou partiel, les enfants bénéficieront d'être exposés à une variété de modèles qui leur proposent plusieurs options pour mener une vie enrichissante».

Une autre étude qui contribuera à faire taire les angoisses des parents (en particulier celles des mères) est celle d'une sociologue de l'Université de Toronto, Melissa Milkie, et de son équipe qui ont découvert, tenez-vous bien, que les mères de famille qui travaillent passent aujourd'hui autant de temps auprès de leurs enfants que les mères à la maison des années 1970. Oui, autant de temps! Voilà une découverte qui devrait plomber tous les discours culpabilisants à propos des mères sur le marché du travail.

La même chercheuse a fait paraître une nouvelle étude en mars 2015 dans le *Journal of Marriage and Family*. Avec sa collègue Kei Nomaguchi, de la Bowling Green State University, elles ont utilisé les données du Panel Study of Income Dynamics Child Development Supplement. Elles ont regardé quel était l'impact du temps passé par les mères et les pères auprès des enfants âgés de 3 à 11 ans, puis de 12 à 18 ans.

Elles ont découvert que de 3 à 11 ans il n'y a pratiquement aucun lien entre la quantité de temps passé en présence d'un parent et la façon dont l'enfant évoluera plus tard.

Les auteures ont pris en considération le temps que les mères passaient auprès des enfants ainsi que celui où elles étaient disponibles pour eux.

Elles ont constaté que la durée de la présence de la mère avait un impact bien subtil et que celui-ci se faisait surtout sentir à l'adolescence. En réalité, durant l'enfance, c'était le statut social des parents (d'autres études montrent que le niveau d'éducation est tout aussi important) qui faisait une différence en ce qui concerne le comportement ou la réussite scolaire des enfants. À l'adolescence, c'était un peu différent. La présence de la mère diminuait les risques de délinquance, alors qu'un jeune qui passait du temps avec ses deux parents – pendant les repas, par exemple – avait moins de risques de consommer de l'alcool, de la drogue ou d'avoir un comportement délinquant.

Les chercheuses ont même établi le nombre moyen d'heures qu'un parent doit passer avec son enfant chaque semaine pour que ce dernier en bénéficie. Six heures. Tout le monde peut trouver six heures dans sa semaine à consacrer à son enfant, non?

Mais comment fait-elle?

Laura Vanderkam gagne sa vie à aider les femmes débordées à dégager des heures libres dans leur horaire. Je n'aime pas beaucoup le titre de son dernier livre – *I Know How She Does It: How Successful Women Make the Most of Their Time* – parce qu'il s'adresse exclusivement aux femmes, mais j'aime beaucoup ce que mon journal en a fait durant quelques mois. Chaque semaine, ma collègue Silvia Galipeau utilisait les principes de ce livre pour aider quelqu'un à alléger son emploi du temps. Ce qui me plaisait dans cette approche? La rubrique n'était pas exclusivement destinée aux mères. Les pères aussi pouvaient y participer. Et les parents qui soumettaient leur agenda ne souhaitaient pas toujours passer plus de temps avec leurs enfants. Certains voulaient du temps pour s'entraîner, pour lire, pour sortir avec des amis. La conclusion la plus intéressante de la démarche de Laura Vanderkam, c'est que nous disposons de plus de temps que ce que nous croyons. En analysant les horaires de centaines de femmes, l'auteure a découvert que, contrairement au message que la société leur envoie, les mères passent beaucoup de temps avec leur enfant. Dans son livre, Vanderkam en profite pour prodiguer quelques conseils qui peuvent aussi bien s'adresser aux pères qu'aux mères : couper la journée de travail en deux afin d'être disponibles quand les jeunes enfants sont réveillés ; cibler des moments dans la journée où la famille peut passer du temps de qualité sans trop de stress ; abaisser ses standards d'ordre et de propreté dans la maison. Bref, du temps, il y en aurait plus que nous le croyons. Comme le dit si bien l'Américaine Brigid Schulte, auteure du livre *Overwhelmed : Work, Love, and Play When No One Has the Time*, « le temps des femmes est fragmenté, interrompu par le soin des enfants et les travaux domestiques. Leur temps de loisir est généralement consacré à ce que souhaitent faire les autres, particulièrement les enfants, et à s'assurer que tout le monde est heureux. Souvent, les femmes sont tellement préoccupées par tout ce qu'il y a à faire – conduire les enfants, remplir le frigo, préparer les repas – que leur temps à elles est, pour reprendre une expression utilisée par les sociologues, "contaminé". »

Comme je me reconnais dans cette description...

Les plus jeunes se sentent moins coupables

La culpabilité est un sentiment féminin, mais serait-il également générationnel ?

En novembre 2014, un blogue québécois a vu le jour sur le Web. Lancé par les jumelles Josiane et Carolane Stratis, les jeunes femmes derrière le blogue mode *Ton Petit Look* (et auteures du livre du même nom, paru aux Éditions Cardinal), *TPL Moms* a pour mission de donner la parole à des mères (et parfois des pères) qui s'expriment sur leur réalité de parents. J'aime bien aller lire les textes d'opinion et les commentaires qui suivent. Je réalise que les choses ont changé, mais pas tant que ça. Il y a encore en 2016 de jeunes femmes qui choisissent de rester à la maison avec leur enfant. Il y a de jeunes femmes qui trouvent que prendre soin d'un enfant est étouffant, aliénant. Il y a celles qui estiment que leur conjoint n'en fait pas assez. Il y a celles qui remettent en question le regard culpabilisant qu'on pose encore et toujours sur les mères en ce début de XXIe siècle.

Bref, j'aime lire ce blogue, et il arrive parfois que je me sente découragée quand je vois les mêmes questions et les mêmes problèmes débattus encore et encore.

Une chose qui me réjouit, c'est que ces femmes semblent quand même beaucoup moins esclaves que celles de ma génération du diktat de la mère parfaite qui doit tout faire et tout réussir.

J'ai rencontré Josiane et Carolane Stratis dans un café du Plateau-Mont-Royal. Elles venaient d'aller conduire leurs enfants à la garderie. Josiane est la maman d'Arthur, et Carolane, celle de Dolores. Les poupons, nés presque en même temps, avaient environ un an et demi.

Dans les deux cas, il ne s'agissait pas de grossesses planifiées. Les jumelles avaient 27 ans, débutaient professionnellement et étaient en couple avec des hommes qui travaillent dans le milieu des arts et de la communication. Traduction: personne ne gagnait un gros salaire.

La première, Josiane, a donc pris deux mois de congé après son accouchement, puis est retournée à l'université terminer son bac en communication. La seconde, Carolane, a repris des contrats après deux semaines de pause.

Comment gèrent-elles tout ça aujourd'hui? Comment ces jeunes femmes débordant d'idées et de projets concilient-elles cette nouvelle vie de famille avec leurs aspirations professionnelles?

« On se voit comme des carriéristes *smooth*, me lance Josiane avec l'humour qui caractérise ces deux jeunes femmes. Personnellement, j'ai refusé une offre d'emploi à temps plein, car je voulais un horaire flexible pour pouvoir travailler de la maison. »

Les deux sœurs sont catégoriques : le modèle de la super mère, non merci. « C'est tellement loin de nous », m'assurent-elles, presque en chœur. « La perfection, ça n'existe pas, me lance Carolane. Et moi, l'histoire des mères indignes, ça m'énerve. T'es pas indigne, t'es humaine. »

Quand elles ont conçu le blogue *TPL Moms*, elles savaient une chose : elles voulaient qu'on y trouve un éventail de points de vue. « On hait la pensée unique, me dit Josiane. Or, sur le Web, on trouve encore beaucoup un discours culpabilisant, du *mother shaming*. On avait envie de changer les mentalités en permettant à chacune de raconter ce qu'elle vit, sans être jugée. »

Je leur demande si elles sont féministes. « On est des féministes modérées, me répond Carolane. On ne brûlera pas notre "brassière" parce que c'est une Simone Pérèle… »

Dieu qu'elles me font rire.

Alors ça veut dire quoi, être féministe modérée?

«Ça veut dire par exemple qu'on est pour l'égalité salariale, mais que ça ne heurte pas mon féminisme que mon chum ne passe pas la "mop". Je ne pense pas que toutes les tâches doivent être partagées, je crois que chacun doit y aller selon ce qu'il veut faire pourvu que, dans la maison, tout soit organisé, que ça coule, que ce soit équilibré...»

«Mon féminisme ne porte pas de jugement, renchérit Josiane. Je ne suis pas antihommes, je veux qu'on apprenne à s'aimer.»

Déboulonner le mythe

J'ai connu Marianne Prairie à l'époque des Moquettes coquettes, ce groupe de filles humoristes qu'on a entendu à la radio, puis vu à la télévision. J'adorais leur humour absurde, leur autodérision et leur féminisme assumé. Le groupe n'existe plus et chaque fille fait son chemin dans le milieu des communications. Actuellement, Marianne est blogueuse et auteure, elle est en couple et a deux enfants.

Quand je lui demande si elle est de celles qui veulent «tout avoir», elle n'hésite pas une seule seconde. «On a eu ces mères-là, on a vu de loin les conséquences assez dures sur leur vie, le divorce de nos parents, etc. Ce n'était pas un modèle inspirant. On aspire, du moins, moi, j'aspire à plus d'équilibre.»

La culpabilité ne semble pas faire partie du discours de Marianne et des filles de sa génération.

«La femme qui a tout, ce n'est pas un idéal, c'est un mythe. Or, on continue d'en faire le modèle dominant et ça m'irrite.

Je crois qu'il y a plusieurs façons de réussir sa vie professionnelle tout en ayant une famille, mais il faut voir ça sur la durée. Il faut prendre du recul. On peut tout avoir, mais pas en même temps. »

Marianne est très honnête avec moi, elle s'est déjà, elle aussi, sentie coupable. Mais elle a vite remédié à la situation. L'important, selon elle, c'est d'être en accord avec ses valeurs, avec ce qu'on attend vraiment de la vie. La maladie de sa fille a sans doute contribué à cette prise de conscience. « Au début, ma fille était asthmatique, me raconte-t-elle. L'idée qu'elle aille à la garderie et qu'elle attrape un virus me rendait folle. Je me sentais coupable, alors je me suis posé des questions sur mes priorités.

« J'ai un regard assez lucide sur ce que j'ai à offrir à mes enfants et sur ce que la société exige quotidiennement des mères, poursuit Marianne. Je me suis posé la question : *Qu'est-ce qui va faire en sorte que je vais aimer ma vie ?* Ça m'a forcée à réévaluer mes valeurs. Mon conjoint l'a fait aussi. »

Marianne a compris que, pour être heureuse, elle devait avoir des horaires flexibles et pouvoir partager les responsabilités avec son conjoint. Elle a donc décidé de travailler à la maison.

Elle a trouvé la formule qui lui convenait et, par le fait même, a réussi à se débarrasser de la culpabilité de ne pouvoir tout faire en même temps.

Marianne, Josiane et Carolane ont raison. La culpabilité que ressentent bien des mères est fortement liée aux attentes qu'elles perçoivent chez les autres. Tant mieux si cette génération de mères réussit tranquillement à se libérer de ce jugement et de ces diktats qui pèsent si lourd et qui empoisonnent la vie des femmes. Je ne sais pas si elles sont représentatives des femmes de leur génération, mais, chose certaine, les plus jeunes semblent accorder beaucoup plus d'importance à leur qualité de vie que les femmes de la génération X. C'est une excellente nouvelle.

CHAPITRE 3
De *Borgen* à Pauline :
le pouvoir au féminin

Elsa Munch, Helga Larsen, Karen Ankersteel, Mathilde Malling Hauschultz. J'espère que vous connaissez ces noms. Ce sont les quatre femmes qui ont été les premières à occuper un siège au Parlement en 1918. Elles ont mis fin une fois pour toutes au débat sur la place des femmes en politique. À tous ceux qui se demandent si les femmes devraient occuper une place en politique à égalité avec les hommes et ultimement devenir premier ministre, je peux seulement dire ceci : vous êtes 100 ans en retard.

Birgitte Nyborg, *Borgen*, 2011

Je l'avoue, j'ai vécu un petit deuil quand la série télé *Borgen* s'est terminée. J'avais l'impression de dire adieu à des amis tellement j'étais attachée aux personnages. Pour ceux qui ne connaissent pas cette excellente série danoise, qui a été diffusée par ARTV au Québec, il s'agit de l'histoire fictive de Birgitte Nyborg, première femme élue première ministre au Danemark.

On voit son accès au pouvoir et l'impact de son élection sur sa vie de famille, sur son couple. La deuxième saison est consacrée à l'exercice du pouvoir, aux compromis qu'il faut faire pour réaliser ses idées tout en restant fidèle à ses idéaux. La troisième et dernière saison s'attarde à l'exercice politique, mais on y aborde aussi des crises personnelles, des questionnements très féminins et pas seulement pour Birgitte, mais pour Katrine, son attachée de presse, une jeune mère séparée qui jongle avec des heures de fous, deux téléphones cellulaires, une vie amoureuse chaotique et la garde partagée de son bambin.

Un des thèmes majeurs de la série est, vous l'aurez compris, l'exercice du pouvoir au féminin. Une femme peut-elle diriger un pays tout en étant mère de famille ? La question se pose dans l'émission de télé, mais aussi chaque fois qu'une femme accède aux plus hautes sphères du pouvoir.

Dans une entrevue publiée sur le site Web de la chaîne Arte, l'auteur de la série, Adam Price, disait ceci : « Une de mes envies avec *Borgen* était de travailler sur le présupposé qu'une femme se sentira toujours plus concernée par la vie de famille qu'un homme. Je pensais donc qu'il serait plus douloureux – et donc plus dramatique – de regarder une femme forcée de faire des choix en permanence : *Est-ce que je vais laisser tomber ma famille ce soir ? Est-ce que je vais abandonner mes ambitions politiques ?* C'est exactement le cœur de la série, c'est même plus important que tout le contexte politique, car c'est ce qui fonde la dramaturgie du personnage. Il s'agit ni plus ni moins du défi majeur de la vie moderne actuelle : comment nous équilibrons notre vie privée et notre vie professionnelle. C'est également un *challenge* dans ma vie personnelle. »

Borgen est passionnant parce que l'écriture est fine, subtile. Mais ce que j'ai apprécié par-dessus tout, c'est qu'on n'y juge pas les femmes. Elles tentent tant bien que mal de réussir leur vie, elles commettent souvent des erreurs, mais jamais on n'adopte un ton moralisateur dans l'écriture ou dans la réalisation. Les femmes sont traitées sur le même pied d'égalité que les hommes dans *Borgen*, sans dureté ni complaisance. Mais Birgitte, elle, se durcit au fil des coups, des trahisons et des blessures.

On voit comment cette femme souhaite faire de la politique autrement, et comment, parfois, elle n'a pas le choix de retomber dans les anciens réflexes politiques transmis d'une génération de politiciens à l'autre.

Birgitte avait tout, en quelque sorte, mais sa vie était loin d'être un jardin de roses. Comme dans la vraie vie. Et c'est sans doute ce qui a fait de *Borgen* une série aussi populaire.

C'est dur, la politique

Je dois dire qu'il n'y a pas un instant pendant que je regardais *Borgen* où je n'ai pas pensé à Pauline Marois, la seule femme dans l'histoire du Québec à avoir été élue première ministre. Elle aussi a dû faire des sacrifices pour accéder à ce poste prestigieux. Mère de quatre enfants, elle a dû en baver pour arriver là où elle s'est rendue. Si quelqu'un s'est demandé : « Est-ce que les femmes peuvent tout avoir ? », c'est sûrement elle.

En regardant *Borgen*, j'avais donc plein de questions pour Mme Marois.

Je savais qu'elle voulait rester loin des médias tout de suite après son retrait de la politique, mais son allocution prononcée au Conseil national du parti québécois au printemps 2014 portait justement sur la place des femmes en politique.

Dans ce discours d'adieu, elle avait lancé une perche aux femmes, leur disant à quel point c'était important de s'engager.

Elle a donc accepté de me voir dans un hôtel du Vieux-Montréal, à quelques pas de sa résidence. Quelques mois à peine s'étaient écoulés depuis sa difficile défaite. Au moment où je l'ai rencontrée, elle n'avait pas encore accordé d'entrevue. La fin de son parcours politique n'avait pas été facile. Elle semblait toutefois très sereine lors de notre entretien.

Pauline Marois avait regardé la série *Borgen*. Et elle s'était reconnue. « J'ai pleuré, m'avoue-t-elle. J'ai reconnu des choses, c'est certain. La tension avec le conjoint, par exemple. Ce n'est pas facile. On est durs avec les maris des politiciennes ; jamais la femme d'un premier ministre n'a été traitée comme l'a été mon mari. Il faut être fait fort. »

Elle ne s'en cache pas, la dernière année et demie au pouvoir a été terrible pour elle et son mari, Claude Blanchet, qui a été la cible d'attaques de la part des partis d'opposition. « Nous sommes mariés depuis 45 ans, me dit-elle. Heureusement, nous sommes solides. Ce n'est pas le cas de tous les couples. D'ailleurs, ajoute-t-elle, je ne sais pas comment les femmes seules ou séparées réussissent à tout faire. J'ai pour ces femmes la plus grande admiration. Moi, je n'y serais pas arrivée ! »

Quand je demande à Pauline Marois si elle considère qu'elle a tout eu, elle n'hésite pas longtemps avant de me répondre. « Oui, j'ai tout eu. La carrière ET la famille. Mais il y a eu un prix, des sacrifices à faire. Peut-être ne le dit-on pas assez…

Quand je me suis présentée comme chef en 1985, j'ai dû retourner sur le terrain deux semaines après avoir accouché. C'est dur. Je dirais que le plus dur en politique, c'est l'absence de congé parental. Mais je me disais que je n'avais pas le choix. Sinon je n'avais qu'à faire autre chose.»

Un peu comme mon mari, qui a couvert la colline parlementaire de Québec comme journaliste et qui me répète souvent que la politique n'est pas un travail de 9 à 5, Mme Marois croit qu'on ne peut pas être ministre et prendre un congé de maternité d'un an. «Ce n'est pas possible, il y a un travail à faire, et c'est toi qui dois le faire.»

Les sacrifices personnels sont donc nombreux. On passe moins de temps auprès de sa famille et on rate des moments précieux. «Il faut accepter qu'on manquera des choses et que c'est le conjoint qui va les vivre et nous les raconter, explique l'ex-première ministre du Québec. Quand ton mari te dit : "On a eu un bel échange à table hier avec les enfants", ça te fait un petit pincement au cœur, c'est sûr. Mais j'assumais ma décision.»

Deux poids, deux mesures

Revenons à *Borgen* un instant. À plusieurs reprises durant la série, Birgitte est complètement déchirée, pour ne pas dire écartelée, par les besoins de ses enfants et les exigences de son travail de première ministre. Sa fille traverse une crise, la pression est très forte et elle doit laisser son poste quelque temps pour être auprès de son enfant.

En entrevue, l'auteur de *Borgen*, Adam Price, dit ceci : «Je ne sais pas si une femme fait de la politique différemment d'un homme, mais je crois qu'elle doit évoquer ses actes politiques de manière différente. Je vais vous donner un exemple. Notre ancien premier ministre a dit un jour dans une interview : "Tant que ma femme et mes enfants me voient une fois par semaine, tout va bien." Il va sans dire qu'une femme ne pourrait jamais dire une telle chose en public sous peine de passer pour une mauvaise mère et une mauvaise épouse ! »

L'idée qui sous-tend la série *Borgen* est de montrer que chacune des décisions que l'on prend chaque jour ont des répercussions dans tous les aspects de notre vie. Birgitte est une femme ambitieuse, séduite par la quantité de travail qui l'attend, mais qui finit par laisser tomber les gens qu'elle aime à cause de cela.

« À un moment, Birgitte parle de la "qualité" du temps consacré à ses enfants, c'est totalement absurde, poursuit Adam Price, visiblement en désaccord avec certaines études sur le sujet. Vous ne pouvez pas faire croire à vos enfants que vous êtes avec eux si vous n'êtes pas vraiment là. »

Ce qui m'a frappée le plus en écoutant parler Pauline Marois, en regardant *Borgen* ainsi qu'en lisant le livre *Lean In* de Sheryl Sandberg, c'est à quel point on ne prépare pas suffisamment les filles au choix et aux décisions qui les attendent.

On leur dit qu'elles auraient avantage à miser sur une carrière, mais aussi qu'elles passeront à côté de quelque chose si elles n'ont pas d'enfant. On vante l'autonomie financière et la valorisation personnelle d'une carrière, mais on insiste aussi sur l'importance d'avoir une famille.

On leur parle rarement de l'intersection des deux, de la conciliation de leurs aspirations. Comme si tout allait se régler par magie !

Celles qui arrivent au sommet – et il y en a encore peu – réussissent grâce à leur volonté personnelle.

Ce qui m'a également frappée en discutant avec Pauline Marois, c'est à quel point cette femme semblait déterminée, à quel point ses objectifs lui semblaient clairs.

« J'ai toujours su que j'aurais une carrière et une famille, m'a-t-elle assuré. Je voulais cinq enfants, j'en ai eu quatre finalement. Je viens d'une famille où les garçons et les filles étaient traités sur un pied d'égalité. Mes parents avaient un emploi modeste : mon père était garagiste, ma mère était enseignante. Nous sommes allés à l'université. C'était important pour mes parents que nous allions tous à l'école. »

Quand Pauline Marois a rencontré Claude Blanchet, ils avaient 20 ans. Mais déjà, la condition était claire. « Si on voulait faire un bout de chemin ensemble, il devait accepter le fait que je veuille m'engager et que j'avais de l'ambition. »

Et le secret est ?

« À mes yeux, c'est clair que l'enjeu principal de la conciliation travail-famille, c'est le partage des tâches », affirme Pauline Marois.

De la musique à mes oreilles, car je pense exactement la même chose.

« C'est au cœur de l'équilibre, poursuit-elle. Les femmes en ont toujours plus sur les épaules. Mon mari a compris qu'il devrait en faire autant, sinon plus. Et pas une tâche ne l'a rebuté :

il a donné le biberon, changé les couches, préparé les repas... Il
a tout fait.»

Pauline Marois me confie que, lorsque son mari a commencé
à planifier lui-même, sans qu'elle le lui rappelle, les rendez-
vous chez le dentiste et les rencontres avec les enseignants des
enfants, elle a su que tout irait bien.

«Je pouvais partir trois ou quatre jours sans penser à rien,
dit-elle. Mon mari s'en chargeait.» Pour un homme, cela peut
paraître banal, mais pour une femme, c'est énorme. La plupart
des femmes vous le diront : lorsqu'elles s'absentent quelques
jours, elles doivent habituellement tout planifier avant leur
départ.

Bien sûr, et cela a été souvent dit et écrit, le couple Marois-
Blanchet avait les moyens de se payer de l'aide. «Quand on était
jeunes, on payait quelqu'un pour faire le ménage, raconte
Mme Marois. Puis quand on a eu les enfants, on a pris une gardienne. Mais l'aide ne remplace pas les parents, et c'est pour
cette raison qu'il est important de pouvoir partager les tâches.
Quand on a trouvé la bonne gardienne et que j'ai su que les
enfants étaient entre de bonnes mains, je me suis sentie mieux.
Bien sûr, il faut accepter qu'on n'aura pas le contrôle sur tout,
qu'on devra le partager comme on partage les petits secrets
des enfants, mais, une fois que c'est réglé dans notre esprit, c'est
correct.»

Au fil des ans, Pauline Marois a occupé des fonctions importantes au sein de différents ministères. Elle était souvent loin de
chez elle. «Mais on savait assurer un équilibre, raconte-t-elle.
Claude et moi, on n'attendait pas que le verre soit plein. Quand
cela faisait deux ou trois week-ends que je n'étais pas à la maison,

Claude me disait: "Là, il faut que tu sois à la maison, les enfants veulent te voir." Alors je passais un week-end. J'apportais mes documents et il arrivait des fois que ma serviette reste sous le banc qui était dans l'entrée. Je n'y touchais pas de la fin de semaine, mais ça me rassurait de la savoir là. Et il n'y avait pas de téléphones intelligents comme aujourd'hui. Je savais décrocher et être dans le moment présent.»

Un prix à payer

Tout au long de sa carrière, Pauline Marois a voulu attirer le plus grand nombre possible de femmes en politique. Elle ne compte plus les fois où elle s'est assise avec une femme pour lui proposer de se lancer.

«La première réaction d'une femme, c'est de douter d'elle-même, de ses capacités... Ce qu'un homme ne fait jamais, explique Pauline Marois. L'homme va mettre de l'avant son expérience alors que la femme va dire: "Suis-je capable? Je ne suis pas certaine d'avoir ce qu'il faut."»

La conciliation travail-famille est toujours abordée assez tôt dans la conversation.

«Toutes les femmes qui ont des enfants demandent: "Mais comment vais-je faire?" La plupart refusent de se lancer et préfèrent attendre que leurs enfants soient grands. Je leur dis qu'il y a des sacrifices, c'est certain, qu'il faut qu'elles aient une entente avec leur conjoint. Je leur parle de mon expérience. Mais les femmes se sentent toujours plus coupables que les hommes.»

Mme Marois me raconte que, au cours de ses dernières années en politique active, elle a commencé à entendre des hommes parler de conciliation travail-famille. «Mais on dirait qu'ils règlent ça plus vite, qu'ils s'organisent plus vite que les femmes, alors que, pour ces dernières, c'est un obstacle majeur.»

Elle a donc essuyé plusieurs refus de la part des femmes. Et on ne peut que constater qu'année après année il n'y a pas beaucoup plus de femmes qui se lancent en politique ou qui visent les postes de haute direction. Sheryl Sandberg l'a souligné dans son livre, ce phénomène d'autoexclusion de femmes qui se retirent avant même de s'être lancées.

Les femmes manqueraient-elles d'ambition? N'ont-elles pas la même petite flamme que les hommes?

«Je crois qu'on éteint leur flamme, qu'on veut tuer leur ambition, dit Pauline Marois. On est tellement durs avec les femmes, regardez comment on a été durs avec moi. On m'a tellement critiquée. Lisez ce qu'on a écrit! On me décrivait comme quelqu'un de "dévoré d'ambition", c'était tellement péjoratif. On disait: "Elle rêve d'être première ministre", mais c'était laid, ce n'était pas beau. Je voulais servir mon pays, m'engager dans ma société, et on rendait ça laid. Jamais on ne sert le même traitement aux hommes. Bernard Landry aussi avait l'ambition d'être chef et d'être premier ministre, et on ne le lui reprochait pas.

«C'est tellement démoralisant, poursuit Pauline Marois. Quand j'ai été première ministre, c'était dur. (*Son adjointe qui assiste à l'entrevue et qui l'accompagne depuis plusieurs années opine.*) Des commentaires sur tout: ma façon de m'habiller, mes bijoux, mais aussi mes cheveux, mes yeux, mon menton. C'était dur. Dur. J'ai lu des choses…» Il y a un silence.

«Ce n'est pas surprenant ensuite que les femmes hésitent ou qu'elles refusent», reprend-elle.

L'ex-première ministre dit que ce qui l'a sauvée, c'est sa garde rapprochée et sa famille. «Sans mon entourage, je ne serais jamais passée au travers, insiste-t-elle. Et je savais aussi au fond de moi que si j'avais eu à choisir entre ma vie privée et ma vie publique, j'aurais choisi ma vie privée. Ça donne aussi une assurance. Sans compter l'expérience qui aide à se construire une carapace.»

Pauline Marois me raconte en riant que sa mère lui disait : «Fais-toi pas mourir!» «Mais c'est vrai que c'est encore plus difficile pour une femme, ajoute-t-elle. Je pense à Hillary Clinton, aux choses qui ont été écrites sur elle. Elle raconte dans son livre *Hard Choices* toute la folie autour de sa coiffure, les commentaires des gens sur ses tailleurs, son air fatigué ou pas. Aucune femme au pouvoir, aucune, n'y échappe.»

Naturel ou construit ?

Comme politicienne, Pauline Marois a grandement contribué à faciliter la conciliation travail-famille en créant les services de garde – ces fameux CPE que nous apprécions et que nous tenons pour acquis maintenant (l'idée d'un homme, Camil Bouchard).

Pauline Marois me confie qu'à ses yeux les centres de la petite enfance demeurent un projet inachevé.

« Il y avait une autre étape au projet, m'explique-t-elle. J'aurais souhaité que les services de santé soient offerts dans les CPE. Les vaccins, les examens médicaux, la visite de l'infirmière, etc. Cela aurait évité aux parents de courir partout. On aurait pu travailler en collaboration avec les CLSC. Et ce service aurait même pu être offert aux parents qui restaient à la maison. Ils auraient pu se rendre au CPE avec leur enfant pour un vaccin ou un examen médical. Je voyais vraiment le CPE comme un service à la communauté, une façon de faciliter la vie des parents qui travaillent. Mais avec le contexte économique, cela n'a pas été possible. »

Preuve qu'il ne suffit pas que des femmes occupent des postes de pouvoir pour mettre en place des politiques pro-familles ou proégalité. Pauline Marois était première ministre et elle n'a pas pu faire tout ce dont elle rêvait.

Cela dit, Pauline Marois estime que la présence des femmes au pouvoir peut avoir un impact sur l'adoption de certaines mesures. « Mais il faut qu'elles occupent des postes-clés, précise-t-elle. Quand j'étais au pouvoir, j'aurais aimé que plus de femmes en âge de procréer siègent comme ministre. Je trouve qu'elles apportent une autre réalité que les hommes. D'ailleurs, toutes les mesures adoptées à l'Assemblée nationale sont le résultat de l'implication des femmes : les réunions qui ne se terminent pas à minuit, la relâche scolaire en mars, des mesures pour accommoder la vie familiale... »

Heureusement, la nouvelle génération d'hommes est plus sensible à ces questions, me confirme Mme Marois. « Mes collègues âgés de 35 à 45 ans se montraient plus touchés par ces problèmes. »

À la fin de la série *Borgen*, Birgitte refuse de redevenir première ministre et accepte plutôt le poste de ministre des Affaires extérieures.

Faut-il en conclure que l'ambition féminine a ses limites ? Au fond, Birgitte aurait pu accepter de reprendre le pouvoir. Mais l'auteur de la série lui fait emprunter un autre chemin, supérieur sur le plan moral. En effet, elle sait pertinemment que le poste de première ministre ne serait peut-être pas le meilleur choix pour le pays. Elle a fondé un parti qui se veut davantage au service du peuple, un parti aux idéaux plus nobles que ceux des vieux partis. En choisissant de faire de la politique autrement, Birgitte Nyborg ne peut pas adopter les comportements des vieux politiciens. Elle doit se placer au-dessus de la mêlée, voilà pourquoi il ne faut pas analyser son refus d'être première ministre comme un manque d'ambition féminine, mais plutôt comme un choix honnête.

Pauline Marois, elle, a trouvé la fin cohérente avec la trame de la série. « Birgitte est fidèle à ses principes jusqu'à la fin. Elle y déroge une seule fois lorsqu'elle demande à son adjointe Katrine de divulguer une information. Elle le fait parce qu'on a attaqué sa fille. »

Aux yeux de l'ex-première ministre, la grande force de *Borgen* aura été de montrer les déchirements entre la vie politique et la vie familiale et personnelle. « L'intrusion dans la vie privée, c'est détestable et c'est choquant, souligne-t-elle. On est scrutés en tout temps. Moi, quand j'avais des prises de sang à passer, je me rendais au CLSC à 6 heures du matin pour ne pas qu'on me reproche d'être allée dans une clinique privée, par exemple. Bien sûr, personne ne venait me voir au CLSC à l'aube, ce n'était pas intéressant. »

Les enfants aussi font les frais de la vie très publique de leurs parents. Pauline Marois me rappelle l'avertissement qu'elle avait servi à ses enfants lorsqu'ils étaient plus jeunes. «Vous pouvez faire toutes les bêtises que vous voulez, mais sachez que vous risquez de vous retrouver en première page du journal.»

Elle me rappelle également comment la vie politique est difficile pour un couple. Encore là, *Borgen* le montre très bien. «Birgitte reproche à son mari d'être parti et de l'avoir laissée seule, souligne Pauline Marois. Mais la vérité, c'est que c'est très difficile. Mon mari ne le dira jamais, mais il a beaucoup souffert. Il a dû laisser toutes ses entreprises sauf une, il a été là pour les enfants, s'est occupé de tout… Sans lui, je n'y serais jamais arrivée.»

CHAPITRE 4
Réflexion autour du choix
de rester à la maison

Tout ce que j'ai de bon, c'est à ma mère que je le dois.

Albert Cohen, *Le Livre de ma mère*, 1954

Dans le grand livre de la parfaite féministe, les femmes qui décident de rester à la maison pour s'occuper des enfants n'ont pas la cote. Celles qui ont mené de longues études et abandonné une carrière prestigieuse, encore moins. C'est comme si elles avaient en quelque sorte trahi «la cause». Elles ont abandonné leur autonomie financière et leur statut professionnel pour reproduire un schéma traditionnel: papa travaille, maman reste à la maison et s'occupe des enfants et de la bonne tenue de la maison.

Je suis féministe et j'ai pourtant une opinion différente sur cette question. Dans la vie, je suis pour le libre choix, et pas seulement en matière d'avortement. Si les femmes ont le droit de décider de ce qu'elles font de leur corps, pourquoi les condamner lorsqu'elles souhaitent consacrer quelques années à l'éducation de leurs enfants? Comme m'a déjà dit une amie qui a fait ce choix, c'est quoi, 10 ans, dans la vie?

En 2006, j'ai coécrit *Le Bébé et l'eau du bain: comment la garderie change la vie de vos enfants* avec mon ami, le pédiatre

Jean-François Chicoine. Dans ce livre, Jean-François apportait son point de vue de médecin et, de nombreuses recherches à l'appui, explorait le thème de l'attachement. En gros, sa thèse est la suivante : étant donné le degré de qualité plutôt moyen du volet éducation dans la plupart des services de garde, et si c'est possible pour une famille, il vaudrait mieux garder son enfant à la maison les 18 à 24 premiers mois pour que le lien d'attachement avec un parent ou un adulte significatif soit bien solide.

Ma tâche à moi dans le livre que nous avons écrit était de donner le point de vue d'une mère féministe, d'aborder la réalité des mères et des parents sur le terrain. Or, certaines féministes ont retenu une seule chose de ce bouquin : le Dr Chicoine veut renvoyer les mères à la maison ! En d'autres mots, on a retenu ce qu'on voulait bien retenir.

Car ce n'est absolument pas ce que disait *Le Bébé et l'eau du bain*. L'adulte en question n'était pas obligatoirement la mère. Cela pouvait très bien être le père ou un grand-parent.

Je crois que ce livre a crevé un abcès qui fait mal à bien des parents dans notre société : le déchirement que plusieurs ressentent entre leurs aspirations professionnelles d'un côté et leurs aspirations en tant que parents de l'autre. Une grande douleur dont on n'aime pas trop parler.

Afin de permettre aux parents de passer plus de temps avec leur enfant, Jean-François et moi proposions donc qu'on allonge le congé parental de six mois. Cette période aurait été automatiquement allouée au père, un peu à la manière des pays nordiques, permettant ainsi au père de s'attacher à son tour à son enfant et d'assumer sa juste part des tâches reliées à la famille.

On est encore loin de là.

Une question d'équilibre

Dans certaines familles où les deux parents travaillent et occupent des postes à fortes responsabilités qui exigent de longues heures et beaucoup de déplacements, la question de l'équilibre se pose plus cruellement qu'au sein d'autres familles. Quand on est vice-président d'une entreprise et que notre conjoint l'est aussi, et que ces deux emplois exigent beaucoup de temps et d'énergie, alors qu'à la maison un ou plusieurs jeunes enfants exigent eux aussi du temps et de l'énergie, il se peut qu'à un moment donné les fondations familiales craquent. À moins bien sûr qu'on décide de confier l'éducation et le soin des enfants à une gouvernante, ce qui enlève beaucoup de pression aux parents, mais n'est pas accessible à toutes les bourses.

C'est pour cette raison que, dans les familles où les parents souhaitent être très présents dans la vie de leurs enfants, il arrive qu'un des membres du couple décide de quitter son emploi pour le bénéfice et la santé mentale de tous.

C'est souvent la femme qui fait ce choix, car c'est la plupart du temps elle qui gagne le salaire le moins élevé du couple (jetez le blâme sur l'épais plafond de verre et les inégalités salariales!).

Je comprends les féministes d'être fâchées que ce soit toujours la femme qui interrompe sa carrière. C'est un cercle vicieux : l'homme gagne plus, la femme gagne moins, donc son retrait pénalise moins le budget familial. Bien entendu, elle perdra son expertise et son ancienneté, et ne retrouvera probablement jamais le salaire qu'elle gagnait au moment d'abandonner son travail. En ce sens, je suis d'accord avec celles qui disent que ces femmes doivent absolument avoir un arrangement avec leur conjoint afin que ce retrait de la vie professionnelle ne les pénalise pas financièrement, surtout en cas de séparation. Elles risquent de se retrouver sans aucune ressource si elles n'ont pas protégé leurs arrières.

Cesser la course folle

En 2003, le *New York Times Magazine* publiait un dossier sur un sujet qui fait encore jaser, plus de 10 ans plus tard. On y parlait de l'*opting-out*, un microphénomène de société qu'on observait dans les classes aisées, chez les femmes diplômées des grandes universités américaines.

Malgré leurs diplômes prestigieux et leurs possibilités de carrière, ces femmes – mariées à des hommes au parcours tout aussi prestigieux – avaient choisi d'interrompre leur vie professionnelle pour rester à la maison auprès des enfants. Elles avaient arrêté la course folle pour se consacrer, pendant quelques années, à l'organisation de la famille et à la vie sociale du couple.

À l'époque, j'avais décidé de regarder au Québec si un phénomène semblable existait afin d'écrire un texte dans *La Presse*. Je me souviens très bien de mon entretien téléphonique avec la sociologue Francine Descarries, horripilée par ce phénomène qu'elle jugeait marginal.

« Voyons donc, m'avait-elle répondu à l'époque, on parle d'une minorité de la minorité. Les femmes sont plus que jamais sur le marché du travail. L'autonomie financière, c'est la clé de l'émancipation des femmes. » Mais je tenais à mon idée et j'avais été à la rencontre de trois femmes qui avaient pris la décision, elles aussi, de quitter leur emploi.

Ces trois femmes qui avaient toutes une formation universitaire et une carrière prestigieuse avaient décidé un jour que c'était assez. Elles étaient en train d'y laisser leur peau. Et leur couple. Elles ont donc choisi de se retirer de la course folle avant de voir leur famille et leur santé s'effondrer. Valérie Castonguay, ingénieure, mère de trois enfants, m'avait confié à l'époque quel avait été le déclencheur, le moment où elle s'était dit : *C'est assez.* « J'arrivais à la gare après une journée de travail, ma mère m'y attendait avec mon fils qui n'avait pas encore un an, m'avait-elle raconté en entrevue en 2004. J'ai vu son regard se promener, me fixer, puis continuer. Il m'a vue, mais n'a pas réagi. Ça m'a brisé le cœur. »

Trois mois plus tard, l'ingénieure avait fermé son entreprise pour se consacrer à sa famille.

Toujours à l'époque, la sociologue Francine Descarries insistait pour me dire que le phénomène de l'*opting-out* s'observait surtout dans les milieux très aisés financièrement, où les femmes pouvaient se permettre de quitter le marché du travail sans risquer de voir leur niveau de vie diminuer. Ces femmes étaient privilégiées.

La deuxième femme que j'avais interviewée, appelons-la Marie, était une des rares à occuper un poste très en vue dans le milieu de la finance à Montréal. Pour elle, c'est la frustration de vivre une vie familiale incomplète ainsi que le désir d'avoir un second enfant qui l'avaient poussée à se retirer pendant un certain temps de la vie professionnelle.

« Ma fille de trois ans ne me connaissait pas, m'expliquait-elle au moment de cette entrevue. Elle semblait heureuse, mais, moi, je ne l'étais pas. Je faisais toutes les tâches domestiques en plus de mes longues heures, je ressentais de l'amertume et du ressentiment. J'étais irritée, irritable et anxieuse. Dans ma

profession, on arrête parce qu'on a le cancer, de graves problèmes psychologiques ou parce qu'on décède. Moi, j'ai décidé
d'arrêter avant.»

La troisième femme que j'avais interviewée, nous l'appelle-
rons Isabelle, avait 36 ans, était avocate et détentrice d'un MBA.
Au moment de notre rencontre, elle était mère d'un petit garçon de 10 mois et d'une petite fille de 4 ans. Elle m'avait avoué
que c'était le cancer de sa meilleure amie qui l'avait poussée à
revoir ses valeurs et à quitter définitivement son poste de vice-
présidente d'une grande entreprise. Son conjoint, qui l'avait
appuyée dans sa démarche, était content qu'elle arrête de travailler.

Du matin au soir

Pendant des années, ces trois femmes ont travaillé très fort
pour essayer de tout concilier. En les écoutant, on était pris d'un
vertige tellement leurs journées ressemblaient à un marathon.
Elles travaillaient de 70 à 90 heures par semaine, n'étaient
jamais disponibles, couchaient leur enfant tout en travaillant et
en parlant au téléphone.

Leur situation était devenue si intense que leurs parents
leur avaient tous dit sensiblement la même chose: «Ça n'a pas
d'allure, tu ne peux pas continuer comme ça.»

Comme bien des femmes qui occupent des emplois prestigieux, les conjoints travaillaient autant, sinon plus qu'elles. À
l'exception de Valérie, dont le conjoint avait des heures de travail flexibles, elles ne pouvaient donc pas attendre beaucoup
d'aide de ce côté.

Ces femmes avaient toutes une anecdote ou un souvenir douloureux pour illustrer à quel point la situation était devenue intolérable. Pour Marie, ça remonte même à la naissance de son premier enfant lorsque, pliée en deux par les douleurs des contractions, elle avait quand même trouvé l'énergie de dicter un texte en préparation d'une réunion à laquelle devait assister son supérieur. Elle avait appris par la suite qu'on avait perdu la cassette. Son travail n'avait jamais servi…

«J'ai fait des journées de 18 heures. J'ai repoussé et annulé des vacances, je ne déjeunais pas, ne lunchais pas, ne dînais pas, m'avait confié Marie à l'époque. J'avais passé trois gardiennes différentes en trois ans, toutes parties parce que les heures étaient trop longues. Ça ne pouvait plus continuer.»

Les trois femmes étaient arrivées à la même conclusion: elles avaient l'impression qu'elles allaient devenir folles. Elles avaient donc pris la douloureuse décision – douloureuse parce ce n'était pas dans leur plan d'abandonner, elles étaient convaincues qu'elles allaient travailler toute leur vie – de quitter leur emploi et de rentrer à la maison pour de bon.

Valérie et Isabelle étaient donc mamans à temps plein, tandis que Marie avait repris des contrats à titre de consultante et travaillait à temps partiel à partir de la maison. Fait important: toutes les trois reconnaissaient que, si leur conjoint avait été plus présent, elles n'auraient jamais arrêté de travailler.

Isabelle m'avait même dit: «J'espère que je ne lui en voudrai pas plus tard, que je ne me sentirai pas frustrée. Quand on a fait toutes ces études et tous ces efforts, c'est épeurant de tout abandonner à 36 ans. En plus, j'ai perdu mon indépendance financière. Par contre, on est beaucoup plus heureux comme couple et comme famille.»

Valérie, pour sa part, se motivait en se répétant: «Je mets tous mes efforts dans mes enfants, je forme des individus. C'est mon effort pour la société.»

Un effort qui n'était toutefois pas encore reconnu à sa juste valeur. «J'ai perdu le respect de mes pairs du jour au lendemain – et même de ma famille –, m'avait affirmé Marie. Mes parents étaient déçus, ils ne comprenaient pas.» Mais Marie, elle, savait qu'elle avait pris la bonne décision. Elle s'est refait une santé, rapprochée de sa fille et, en peu de temps, est tombée enceinte de son fils.

Un bilan mitigé

Dix ans plus tard, je suis retournée rencontrer deux des trois femmes que j'avais interviewées pour cet article afin de voir où elles en étaient dans leur vie.

Quel bilan font-elles de leur décision? Comment vont-elles après avoir passé plus de 10 ans à la maison? Leurs enfants ont grandi, ce sont des adolescents, elles ont donc plus de temps pour elles. Dans le cas d'Isabelle, son fils, qui était un bébé quand je l'ai rencontrée la première fois, s'apprête à entrer au secondaire. Elle songe donc à ouvrir un bureau pour faire de la médiation familiale à son rythme. L'avocate de formation, qui approche de la cinquantaine, m'assure qu'elle n'a aucun regret. «J'apprécie la vie que j'ai pu offrir à mes enfants, dit-elle avec assurance. Je regarde les avocates de ma promotion et je n'envie pas leur vie une seule seconde. Je note aussi que certaines filles qui ont étudié en même temps que moi et qui ont de grosses "jobs" aujourd'hui se cherchent, elles aussi, des emplois moins prenants, du 9 à 5, avec plus de flexibilité. Finalement, j'ai l'impression qu'on est rendues un peu à la même place, elles et moi.

« Quant à celles qui ont des emplois très prenants avec de grosses responsabilités, elles ont des gardiennes et ne voient jamais leurs enfants, car elles doivent participer à des activités et des événements tous les soirs, poursuit Isabelle. Mon seul regret, finalement, c'est mon choix de carrière. Peut-être que je n'aurais pas dû choisir le droit. J'ai une amie qui est médecin et qui a diminué ses heures lorsque ses enfants étaient jeunes. Elle pratique encore comme médecin. Je n'ai peut-être pas choisi la bonne voie.»

Isabelle m'assure qu'elle n'a aucun malaise à être dépendante financièrement de son mari. «Jamais il ne me parle d'argent. Je ne suis pas très dépensière, mais c'est certain que s'il y avait eu un problème, si mon mari m'avait dit quelque chose, je serais retournée travailler.»

Aujourd'hui, alors qu'elle envisage de reprendre la pratique du droit, Isabelle se dit tout de même hésitante. «J'ai peur de briser le bel équilibre familial que j'ai créé. Mon mari n'en fera pas plus dans la maison parce que je retourne travailler. Or, nous avons tellement une belle qualité de vie...»

Elle m'affirme qu'elle n'a jamais eu l'impression de sacrifier quoi que ce soit. «Autant j'étais carriériste avant d'avoir des enfants, autant j'ai apprécié ma chance au cours des 10 dernières années. Je trouve que mes enfants sont épanouis, sains, relax.»

Et le jugement des autres?

«Les pires, ce sont les autres filles, reconnaît-elle. C'est comme lorsque tu travailles: les pires, ce sont les mères qui ne travaillent pas. Moi, j'ai toujours fait attention à ce que je disais. Et quand les autres me passent des commentaires sur le fait que je ne travaille pas, je ne me sens pas visée. Je suis tellement à l'aise avec ma décision. Je me dis qu'au fond elles aimeraient être à ma place, elles sont jalouses. Je pense que ça revient à chaque couple, à chaque famille de trouver sa façon d'être heureux et d'atteindre un équilibre. Moi, j'ai décidé de prendre 10 ans dans ma vie pour m'occuper de mes enfants, c'est ma décision et je ne juge pas le choix des autres. Est-ce que je vais regretter un jour et me dire: *Oh, mon dieu, je n'aurais pas dû m'occuper de mes enfants!* Non. Je suis vraiment sereine.»

Alors pourquoi retourner travailler?

«J'ai envie que ma fille ait aussi un modèle de mère qui travaille, pour qu'elle voie que c'est possible, me répond Isabelle. Je lui dis d'ailleurs souvent de penser à trouver un emploi qui offre de la flexibilité pour qu'elle puisse travailler ET avoir des enfants.»

Dix ans de sacrifices

Pour Marie, qui occupait un poste très en vue dans le milieu de la finance, le constat est plus douloureux. Même si elle a travaillé comme consultante après avoir quitté son emploi, elle souffre de l'absence de reconnaissance de la société à son endroit. «Quand tu ne travailles plus, on ne te demande plus quels sont tes projets, on te classe dans une autre catégorie.»

Cela dit, elle n'a aucun regret, d'autant plus que chacun son tour, ses deux enfants ont traversé une période difficile. « Si j'avais poursuivi ma pratique professionnelle, je n'aurais pas été capable de mettre ça de côté pour m'occuper de mes enfants au moment où ils en avaient besoin. Il aurait fallu que je démissionne. »

Aujourd'hui, Marie estime que sa famille a énormément bénéficié de son choix. « Mon conjoint a pu se consacrer à sa carrière, et j'étais ses oreilles et ses yeux à la maison, explique-t-elle. Il en est très reconnaissant aujourd'hui. Pour ma part, je suis contente que mes enfants aillent bien, mais je ne peux m'empêcher de constater que je n'ai aucune rémunération ni reconnaissance. Or, tous les psychologues vous le diront, pour qu'un individu évolue bien, il doit avoir de la reconnaissance. Quand mes enfants connaissent un gros succès, je ne peux pas le prendre pour moi, ça leur appartient. Parce que ça aurait pu aussi mal aller et ça n'aurait pas été de ma faute pour autant. »

Avec le recul, Marie reconnaît qu'elle n'aurait pas pu mener de front vie professionnelle et familiale. « Je n'étais pas capable d'être perfectionniste au travail et à la maison, j'étais en train d'y perdre ma peau. Je suis honnête, je le dis. Et je suis certaine que j'ai sauvé mon mariage en faisant cela. »

Comme Isabelle, ce que Marie a trouvé le plus difficile, c'est le regard négatif des autres. « Je pense que c'est ça qui fait que les femmes en général ne veulent pas rester à la maison, croit-elle. C'est l'absence de reconnaissance. Le regard débilitant que je reçois, il vient des femmes, jamais des hommes. Les autres femmes vont dire : *"She couldn't handle the stress."* Nous sommes dans une époque de valorisation de soi alors que, moi, j'ai fait un don de moi. »

Au départ, poursuit Marie, son conjoint n'était pas emballé par la perspective qu'elle abandonne sa carrière. «Mon chum considère qu'il a fait une grosse concession, lui aussi, car il avait marié une femme d'affaires avec un potentiel et un revenu considérable – dans la société du paraître, ça paraissait très bien d'être avec moi. Il a accepté de mettre ça de côté, il a respecté ma décision. Aujourd'hui, il tire profit de la situation. Et il aimerait que je sois parfaitement heureuse à la maison, car, comme homme orgueilleux, c'est plus facile de dire : "Ma femme est à la maison, elle joue au tennis, elle s'occupe d'organismes à but non lucratif" que d'avoir une femme qui essaie de tout faire et de composer.»

Maintenant, non seulement le conjoint de Marie est heureux de la situation, mais il la rassure à propos de son choix. «Un des avantages d'être à la maison, c'est de recueillir les confidences des enfants qui sont souvent lâchés comme une petite bombe, jamais dans un moment de qualité comme pendant un repas, mais plutôt en ouvrant la porte pour aller au soccer, raconte Marie. Dans ces instants-là, mon mari me dit toujours : "Si tu n'avais pas été là en quantité, ce petit message-là, on ne l'aurait peut-être pas eu."»

Marie est la fille d'une femme qui a trimé dur pour que ses quatre enfants aient une éducation et une carrière intéressante. Féministe de la première heure, elle faisait une maîtrise le soir et travaillait la nuit à mettre des seringues dans des sacs pour une compagnie pharmaceutique, tout ça pour que ses filles n'aient pas à vivre ce qu'elle avait vécu. Aujourd'hui, sa mère est amère.

«Elle me dit souvent: "On n'avait pas signé pour ça", me confie Marie. Quand j'ai eu mon premier enfant, elle venait le garder et voyait bien les heures que je mettais au travail, puis à la maison. Elle constatait avec déception que la libération de la femme n'avait rien changé, que la femme en faisait toujours plus. Mais je lui ai dit: "Maman, c'était VOTRE bataille, pas la leur (aux hommes). Eux, ils étaient bien comme ils étaient."

«Ça la peinait beaucoup, poursuit Marie. Elle me disait: "J'espère que vous ne nous en voudrez pas de vous avoir dit que la seule valorisation possible, c'était d'avoir une carrière accomplie. Ce faisant, je n'ai jamais voulu te priver de la maternité et je n'ai jamais voulu te donner l'esclavage en héritage... Car au nombre d'heures que tu fais dans une journée, je m'excuse, mais c'est de l'esclavage."

«Ma mère considère qu'à la maison la révolution féministe a été un échec, ajoute Marie avec émotion. Les femmes en ont pris le double. Ma mère et les femmes de sa génération trouvaient que dans leur cas, puisqu'elles étaient les premières à défoncer les portes, c'était correct, elles pavaient la voie aux autres femmes, elles pouvaient en prendre. Mais ce qu'elles ont oublié, c'est que cette révolution n'a pas été faite en partenariat avec les hommes, ce n'était pas leur révolution à eux.»

Marie partage l'analyse de sa mère. Et constate qu'aujourd'hui non seulement les hommes n'ont pas pris la moitié des responsabilités, mais ils s'attendent à ce que leur conjointe rapporte financièrement en plus d'assumer toutes les tâches domestiques.

Dix ans plus tard, Marie estime aussi que sa décision lui a coûté cher financièrement. «Si mon mari tombe malade, qui va embaucher quelqu'un de mon âge? Qui? Et si, demain matin, mon chum rencontre mon équivalent 20 ans plus jeune, je fais quoi? L'avenir me semble déstabilisant, épeurant. Parfois, je me sens coupable et je me demande si je devrais retourner en pratique professionnelle, boxer et essayer de me refaire une place.»

Marie le répète, elle ne regrette pas sa décision. Elle dit seulement qu'aujourd'hui elle découvre l'autre côté de la médaille. «Maintenant que j'ai beaucoup plus de temps, je me demande: *Qu'est-ce que je fais? Est-ce que je peux puiser dans l'expérience que j'ai vécue?*

«J'ai encore des moments de cafard et je dirais que 100 % des différends que j'ai avec mon chum sont là-dessus, sur le choix que j'ai fait.»

Assurer ses arrières

Quand je retourne m'asseoir avec la sociologue Francine Descarries dans les bureaux de l'Institut de recherches et d'études féministes de l'UQAM, je lui rappelle notre échange à propos de l'*opting-out*, il y a plus de 10 ans. «Je crois que je serais moins dure aujourd'hui, reconnaît-elle avec un sourire, mais je persiste à croire que l'autonomie financière est primordiale pour les femmes. À des femmes qui songent à se retirer, je dirais: "Assurez vos arrières, sachez dans quoi vous vous embarquez."»

Je suggère à Francine Descarries que le féminisme a ses torts dans tout le débat entourant le travail des femmes, qu'en misant seulement sur leur autonomie financière il a négligé l'attrait et le plaisir de la maternité.

Je ne blâme pas les féministes de la génération de Francine Descarries. Comme la mère de Marie, elles sont issues d'une autre réalité que la nôtre, celle décrite par Betty Friedan dans *The Feminine Mystique*, ou encore par Louise Vandelac dans *Du travail et de l'amour: Les dessous de la production domestique*. Je vous en cite un extrait: «Nous avons vu vivre nos mères dans le puits de mélasse de leur cuisine. Et comme beaucoup d'autres, nous avons eu peur de cet enfermement [...]. Notre premier désir était de sortir de ces cuisines d'impuissance, de les rayer de nos vies et de nos têtes, comme si ces gestes incantatoires nous en libéreraient.»

Cinquante ans plus tard, on s'entend, la réalité des femmes n'est plus la même.

Souvent, lorsque mes enfants étaient jeunes et que j'échangeais avec certaines féministes, j'avais l'impression qu'elles étaient incapables de concevoir que des femmes préféraient être auprès de leurs enfants plutôt que travailler. Elles refusaient d'accepter l'idée que des femmes majeures et vaccinées souhaitent prendre soin d'un enfant, veiller à son éducation, passer du temps avec lui. Pourtant, elles existent bel et bien, ces femmes. Que fait-on avec elles? On ignore leurs droits et leur choix?

«Je pense qu'il y a des femmes qui ont les moyens et qui peuvent se réaliser pleinement à la maison, me répond Francine Descarries. Ce sont certainement des femmes qui ont une conception plus conservatrice de la maternité et qui ont mis de l'avant la carrière de leur mari plutôt que la leur. Je ne dis pas que ces femmes sont malheureuses, mais elles reproduisent ce que je considère être la division traditionnelle du travail et, à long terme, cela ne peut être que préjudiciable à l'égard des femmes. Pour moi, l'autonomie financière des femmes est un pivot de leur libération. »

Pour tout vous dire, la question : « Est-ce que les femmes peuvent tout avoir ? » ne branche pas du tout la sociologue de l'UQAM. Selon elle, ce débat descend en droite ligne d'un néo-féminisme individualiste auquel elle ne s'identifie absolument pas.

« Ce n'est pas l'expérience que j'ai du féminisme, précise la sociologue. Mon expérience se situe dans un féminisme plus radical, un féminisme matérialiste. Donc le féminisme que je transporte est un féminisme beaucoup plus conscient des contraintes qui sont inscrites dans la société. »

Ici, je dois vous faire un aveu : j'ai toujours eu de la difficulté à me reconnaître dans le féminisme québécois institutionnel. Je le trouve rigide, éloigné de mes préoccupations, trop académique et universitaire, trop écarté des débats de société.

Bien des féministes québécoises regardent de haut les tendances qui nous viennent des États-Unis. Elles s'intéressent davantage aux mouvements populaires, aux réseaux de femmes québécoises, à leur histoire, à la lutte des classes. Francine Descarries ne fait pas exception à la règle.

Et je dois avouer que, pour cette raison, je me suis toujours davantage identifiée aux féministes américaines, plus branchées sur le concret et la culture populaire. Mais fin de l'aparté. Je tenais tout de même à entendre une incontournable comme Francine Descarries se prononcer sur la question du « tout avoir ».

Selon la sociologue, donc, une tendance est apparue dans les années 1990 et au début des années 2000, tendance qui a véhiculé l'idée que l'égalité homme-femme existait déjà, et que les filles devaient désormais compter sur leurs propres moyens. «Et ça, lance-t-elle, c'est très individualiste et c'est très américain. C'est un féminisme qui a été importé au Québec par l'entremise de la culture populaire et par des figures de proue féministes des années 1990 comme Naomi Wolf.

«Or, poursuit-elle, c'est une illusion de croire que l'égalité existe, et c'est à partir de cette illusion qu'on peut penser que les femmes peuvent tout avoir. Ce n'est pas ce que le féminisme a dit aux femmes. Ce qu'on a dit, c'est que ce serait difficile et qu'il faudrait qu'elles performent dans les deux univers. Mais je ne dirais pas que le féminisme a demandé aux femmes de performer dans la maternité. Ça, c'est venu avec la littérature populaire.

«Partant de cette logique-là, continue la sociologue, la femme aurait autour d'elle tous les moyens pour réagir, et il ne lui resterait qu'à faire des choix : travailler ou se consacrer à la maternité. Mais ça, c'est un féminisme à l'américaine, un féminisme des jeunes qui refusent de travailler trop fort pour avoir ce qu'elles désirent et qui disent ne pas vouloir être comme leur mère qu'elles jugent victimisée par le féminisme parce qu'on lui en a trop demandé.»

Ce féminisme des choix, tel que le décrit Francine Descarries, aurait tout faux, car il part du principe que tous les choix sont bons, du moment que c'est nous qui les faisons. «Comme si nous avions la liberté de nos choix! s'indigne-t-elle. Voilà un féminisme qui fait fi des contraintes structurelles économiques qui existent pour 90 % des femmes en pensant que 10 % de femmes éduquées dans un milieu favorisé, des femmes qui sont belles et grandes, peuvent tout avoir.

Francine Descarries a raison sur un point : le discours sur la performance (au travail ou à la maison) n'est pas l'œuvre des féministes québécoises. Mais je lui reproche tout de même son refus de reconnaître qu'il existe d'autres avenues dans la vie d'une femme que celle de se réaliser professionnellement.

En n'encourageant qu'une seule option, le mouvement féministe québécois a milité exclusivement en faveur des mesures qui faciliteraient la conciliation travail-famille : les services de garde et les congés parentaux. Rien, aucune réflexion sur une forme d'aide qui serait destinée aux parents qui décident de rester à la maison quelques années de plus, et ce, qu'ils soient hommes ou femmes. Rien qu'une certaine condescendance et beaucoup d'incompréhension...

La présidente du Conseil du statut de la femme, Julie Miville-Dechêne, semble partager mon point de vue. « Aujourd'hui, le choix de rester à la maison quelques années n'a rien à voir avec la situation antérieure, alors que c'était la seule chose que les femmes pouvaient faire socialement, m'affirme-t-elle lorsque je vais la rencontrer dans son bureau du centre-ville de Montréal. On a sous-évalué l'intérêt que les femmes auraient pour leurs enfants et on a surévalué celui qu'elles auraient pour leur travail. Le travail en soi n'est pas une garantie d'épanouissement, il peut aussi être une exploitation. Il y a des emplois qui sont aliénants. Or, l'aliénation est quelque chose qu'on a beaucoup lié au travail domestique et au soin des enfants à la maison, alors que l'aliénation peut aussi se retrouver dans le travail. »

Julie Miville-Dechêne ne remet pas en question le besoin d'autonomie des femmes, mais elle apporte des nuances qui, à mon avis, sont nécessaires. Cette ancienne journaliste à Radio-Canada sait de quoi elle parle lorsqu'elle me dit qu'une femme peut avoir envie de voir son enfant plus d'une heure ou deux par jour, à la course, essoufflée. « Les choix qu'on fait s'inscrivent toujours dans un contexte, insiste-t-elle. Mais de dire que le choix d'une femme qui décide de rester à la maison n'a aucune valeur, à notre époque, alors que les femmes connaissent pertinemment le risque qu'elles courent de perdre leur expertise, leur ancienneté et leurs revenus, je trouve que c'est leur enlever toute leur intelligence et je refuse cela. »

Toutefois, on ne peut pas dire que le mouvement féministe québécois se casse la tête pour repenser le monde du travail et proposer des mesures qui faciliteraient la conciliation famille-travail, comme si, hormis les garderies, point de salut.

Pourquoi reviendrait-il toujours aux familles de faire des sacrifices et des concessions alors que le monde du travail, lui, en fait si peu ?

Pour reprendre les propos de Marie cités un peu plus haut : « Dans la vie, pour qu'un être humain se sente valorisé, il a besoin de reconnaissance ainsi que d'une rémunération. » Que peut-on faire pour que le rôle de parent soit mieux valorisé dans la société ? Faudrait-il envisager une forme de salaire ou de prime pour les parents qui restent à la maison avec leurs enfants, un peu comme l'avait proposé l'ADQ à l'époque ? Après tout, on paie bien ceux qui s'occupent de ces mêmes enfants à l'extérieur de la maison ?

Une chose est certaine, les femmes ont fait suffisamment de sacrifices et de concessions. Au suivant !

CHAPITRE 5
Qui va sortir les poubelles ?

Quoi de plus agréable pour vous que de lui faire plaisir quand il rentre de sa journée de travail ? Ayez recours à cette bonne vieille recette : lui réserver des moments de détente, sans le bruit des enfants et sans le souci de vos soucis ; l'accueillir gentiment avec ses pantoufles, son journal et peut-être son apéritif préféré. Il sera heureux ensuite de vous aider à son tour.

L'Encyclopédie de la femme canadienne, 1966

Qu'est-ce qui tue l'amour et menace les couples ? Qu'est-ce qui est source de tension, de dispute, voire d'engueulade monstre entre deux personnes qui s'aiment ? Non, ce n'est pas l'infidélité, la porno en ligne ou la crise de la quarantaine. Ce qui use les couples est la sempiternelle discussion autour du partage des tâches.

Un sujet tellement insignifiant quand on y pense. Qui fera la lessive, le ménage, qui changera le rouleau de papier de toilette ? On espérait notre histoire d'amour au-dessus de ces questions triviales, mais on réalise assez vite que l'harmonie de notre couple en dépend.

Il y a même des chercheurs qui se sont penchés sur la question. Dans le livre *Fast-Forward Family*, les auteurs Elinor Ochs et Tamar Kremer-Sadlik notent que la tension provoquée par les accrochages à propos des tâches ménagères peut avoir une influence sur la nature de la communication du couple dans d'autres aspects de la vie.

Ils ajoutent que, lorsque l'homme assume sa part des responsabilités domestiques, sa conjointe est plus heureuse, moins déprimée, le nombre de conflits diminue et le taux de divorces aussi. Sans compter qu'ils font l'amour plus souvent. Bref, la question du partage des tâches peut paraître futile, mais elle est au cœur de l'harmonie amoureuse d'un couple qui cohabite sous le même toit, qu'il soit hétérosexuel ou homosexuel.

Les dernières statistiques indiquent clairement qu'encore actuellement, dans les couples hétérosexuels, les femmes sont perdantes dans ce «partage». Oui, les hommes en font plus qu'avant, mais on n'est pas encore arrivés au partage parfaitement égal dont rêvent la majorité des femmes.

Selon la plus récente étude de l'Institut de recherche et d'informations socio-économiques du Québec (IRIS), basée sur des chiffres de 2010, dans un couple où les 2 conjoints travaillent, l'homme consacre en moyenne 8,6 heures par semaine aux tâches ménagères alors que la femme y consacre 13,9 heures, soit 62 % de plus. Les auteures de l'étude, Eve-Lyne Couturier et Julia Posca, notent en outre que, comme aux États-Unis, le partage des tâches est moins équitable lorsque la femme contribue à plus de la moitié des revenus du ménage. En effet, une femme qui gagne de 30 000 $ à 49 999 $ par année passe en moyenne 3,6 heures par jour à s'occuper de tâches ménagères. Elle en fera 11 % de plus (4 heures) si elle gagne plutôt de 50 000 $ à 79 999 $. «Le temps diminue pour un salaire encore plus élevé, possiblement à cause de stratégies de sous-traitance», notent les deux auteures. Les femmes sont donc perdantes sur toute la ligne. Si elles ne travaillent pas, elles font tout à la maison.

Cette statistique m'a sciée. Je savais que, au sein des ménages où l'homme gagne un gros salaire, les femmes avaient tendance à en faire plus pour «compenser» en quelque sorte. Or, ce que nous disent les études, c'est que l'inverse n'est pas vrai. Contrairement à la femme, l'homme ne se sent pas redevable et n'a pas l'impression qu'il doit en faire plus pour équilibrer la donne. Le couple aura plutôt tendance à sous-traiter les tâches domestiques parce que le revenu familial le permet.

«Toutes les études et les rapports convergent, concluent Eve-Lyne Couturier et Julia Posca. Les femmes font plus de travail domestique que les hommes, et ce, dans tous les pays. Au Québec, les choses vont un peu mieux. Tranquillement, elles évoluent. L'arrivée massive des femmes sur le marché du travail, mais également la volonté politique du Québec d'amener les pères à s'impliquer davantage dans l'éducation de leurs enfants (notamment par les congés paternels non transférables) permettent d'améliorer la situation. On peut se réjouir du fait que le Québec se démarque, mais il reste beaucoup de travail à faire avant d'arriver à la parité. Non seulement les femmes, peu importe leur situation d'emploi, consacrent plus de temps que les hommes aux tâches ménagères, mais, en plus, ce sont celles qui adaptent le plus leur horaire aux besoins de leurs proches.»

«Garder» ses enfants

Avant, lorsque les femmes n'avaient pas encore investi le marché du travail, la question du partage des tâches ne se posait pas : c'était simple, les femmes faisaient tout. Et celles, plus rares, qui avaient un travail et des enfants en faisaient deux fois plus.

Louise Harel me confie que, sans sa précieuse tante Cécile, elle n'y serait jamais arrivée. «Tante Cécile, c'était la sœur de mon père, me raconte l'ex-ministre. Elle a élevé les enfants de son frère aîné, puis, quand les enfants ont été plus vieux, elle est venue habiter chez mes parents à ma naissance. Et quand j'ai été mal prise, elle est venue habiter dans Hochelaga-Maisonneuve, à côté de chez moi, en face de l'école primaire que ma fille fréquentait. Sans elle, jamais je n'aurais réussi. Mon mari de l'époque, Michel Bourdon, ne faisait rien à la maison. Rien. Il "gardait" sa fille pendant les réunions du PQ. Ce n'est pas par mauvaise volonté, mais il ne faisait rien. Et je ne lui demandais rien, car il était tellement désorganisé.»

Heureusement, les choses ont (un peu) changé. Le deuxième quart de travail, ou deuxième *shift* comme on l'appelle, existe encore pour les femmes. Mais, dans un nombre croissant de familles, il est mieux partagé entre les deux parents qui essaient tant bien que mal de se diviser la valse repas-devoirs-bain-histoire-dodo-rendez-vous, etc.

Il faut dire que, contrairement à Louise Harel et à d'autres femmes de sa génération, le partage des tâches est primordial aux yeux des femmes de ma génération et des suivantes, les Y. C'est un enjeu quotidien, une condition *sine qua non* au bon fonctionnement du couple. Nous n'avons pas hésité, nous, à demander à notre conjoint d'assumer des tâches et des responsabilités. Bien sûr, il n'existe pas de méthode parfaite, pas de solution miracle. Dans bien des familles, c'est un travail d'artisanat, de macramé, même! On se tricote un système souvent bancal, qui fonctionne à peu près correctement la plupart du temps. Un système dans lequel les grands-parents des enfants (donc nos parents) jouent un rôle important.

Comment y arrive-t-on ?

J'en ai parlé avec d'autres femmes qui m'ont expliqué comment elles faisaient fonctionner leur cellule familiale sans trop d'accrochages.

Ma collègue Katia Gagnon me le répète d'emblée : « Sans ma mère, je n'y serais pas arrivée. Je sais qu'elle l'a fait pour moi, pour que j'aie une carrière. C'était important pour elle. » La mère de Katia habitait l'étage au-dessus et pouvait donc accueillir ses trois petits-fils au retour de l'école lorsqu'ils étaient plus jeunes. Elle dépannait également pour les repas et gardait les enfants les soirs où Katia et son conjoint devaient travailler plus tard.

Bien que les tâches soient à peu près réparties équitablement au sein de son couple, Katia estime que le poids de l'organisation demeure sur ses épaules. « C'était une évidence dans nos esprits, à mon mari et moi, que nous allions partager les tâches, me dit-elle. Ça se faisait naturellement. Mon plus vieux a voulu faire de la natation, j'ai pris ça en charge : les entraînements, la compétition, etc. Quand le plus jeune a voulu jouer au soccer, c'est mon chum qui s'en est occupé. Mon chum m'a aussi dit : "Je m'occupe des lunchs et tu t'occupes des matins." Mais il reste que les vacances, les rénovations, le processus d'inscription à l'école secondaire, c'est moi qui prends cela en charge, et c'est un poids. »

L'ex-rédactrice en chef du *Devoir*, Josée Boileau, qui se décrit elle-même comme une femme « furieusement féministe », me raconte quant à elle que, lorsqu'elle a emménagé avec son conjoint, ils ont minuté chaque tâche afin que le partage soit le plus équitable possible. « On avait eu la discussion avant même d'avoir des enfants, me dit-elle. Et lorsqu'on parlait d'en avoir, c'était implicite qu'on serait deux à s'en occuper. »

Le jeune couple avait donc imaginé un système. « Sur le frigo, il y avait une feuille avec un tableau de tâches divisé en deux, avec nos noms, m'explique Josée. On les interchangeait régulièrement. Il n'était pas question que ce soit toujours la même personne qui passe l'aspirateur. » Ils ont même poussé le souci d'égalité à donner des noms de famille différents aux quatre enfants : un garçon et une fille se nomment Boileau, les deux autres se nomment Lacroix. Très pratique pour former des équipes lorsque la famille joue à des jeux de société...

Mais Josée m'avoue que le fameux système du frigo n'a pas duré longtemps. « Et c'est à cause de moi, reconnaît-elle en riant. Quand mon tour arrivait pour faire des réparations dans la maison, je n'avais jamais le temps. Au bout du compte, j'ai dû admettre que je détestais ça. »

Comme bien des femmes, Josée Boileau insiste pour dire que c'est le conjoint qui fait la différence en ce qui concerne le partage des tâches. « Pour que ça marche, il faut que tu aies un conjoint qui participe. »

Cela dit, et malgré la grande égalité qui règne au sein de son couple, la journaliste demeure convaincue que la charge mentale, l'organisation de la famille restent une affaire de femme, et ce, même si son mari en fait autant qu'elle. « Le petit écureuil qui marche tout le temps, la question de ce qu'on mangera pour souper, c'est encore moi qui y pense et qui le planifie, affirme-t-elle. La charge mentale est encore très féminine. Moi, je la prends de moins en moins même si mon chum me taquine en me disant que je ne peux pas m'en empêcher. Je suis consciente que, lorsque je le fais, c'est parce que j'aime contrôler. C'est comme naturel chez les femmes de penser à tout ça. »

Papa-maman-bébé

Correspondante à l'étranger, Julie Miville-Dechêne et son mari habitaient souvent dans des villes différentes, avant d'avoir des enfants. C'est dire comment la vie du couple a été chambardée quand le premier bébé est arrivé dans leur vie. « Au début, par rapport aux enfants, notre couple était très typique, me confie Julie. On était pris dans un schéma très traditionnel : je faisais à manger, je planifiais les vacances, etc., et mon mari jouait avec les enfants et s'occupait de quelques tâches ménagères. C'était tellement traditionnel que des fois ça me faisait rire. »

Puis, une fois que Julie est retournée au travail, les tâches se sont divisées plus équitablement. « Mais toute la planification, la charge mentale, ça, je l'ai toujours eue, m'assure-t-elle à son tour. Jusqu'à ce que j'occupe mon poste actuel qui me demande d'habiter à Québec quelques jours par semaine. Depuis, il y a un deuil à faire. Je suis moins à la maison. J'essaie de lâcher prise, mais c'est un *work in progress*. On en rit, mon mari et moi. »

Si le partage des tâches est souvent source de conflits dans un couple, c'est que, très souvent, les femmes, même les plus libérées, ont une espèce d'idéal domestique (héritage atavique ? lavage de cerveau ?) qui occupe un coin de leur esprit. Malgré les nombreux combats féministes, on dirait que persiste le rêve de contrôler parfaitement notre espace, de vivre dans une maison impeccable tout droit sortie d'un magazine de décoration. Moi qui déteste tout ce qui touche l'intérieur et la domesticité, je suis prise de petites «crises» passagères où je me prends pour Martha Stewart: je cuisine, je veux tout décorer, je fais du ménage de façon compulsive. Pendant la rédaction de ce livre, je me suis même surprise à épousseter ma boîte aux lettres!

Bizarrement, mon chum semble immunisé contre ce genre de «crises». Quand il veut se changer les idées, il va courir.

Les femmes sont également plus soucieuses du contenu de l'assiette de leurs enfants. Mon mari laisse son fils manger des rôties couvertes d'une épaisse couche de Nutella, alors que j'essaie de contrôler tout ce que mes filles ingurgitent en essayant que ce soit toujours parfaitement équilibré et préparé de mes blanches mains (bien entendu, elles dévorent des boîtes complètes de biscuits sucrés quand j'ai le dos tourné...). Les femmes, plus que les hommes, sont sensibles à la pression sociale qui érige la perfection et le contrôle en modèles.

Sur le terrain, ce sont donc deux visions qui s'affrontent: le «C'est bien assez correct» contre le «Ça pourrait être mieux».

Ici, je ne veux absolument pas tomber dans les généralisations et les stéréotypes sexuels. Je connais des hommes qui sont maniaques du ménage, et des femmes qui se fichent de tout ce qui est domestique. Je parle de façon générale.

J'ai parlé de tout ça avec la cinéaste Louise Archambault.

Devant un café un après-midi d'été, elle me lance d'emblée: «Je ne suis pas d'accord avec ce discours sur le "tout avoir". On ne peut pas tout avoir. Concilier tout et après avoir du temps pour prendre un verre avec ses amies et avoir une maison impeccable, etc. Et d'être au-dessus de tout ça, d'être cool et relax, de paraître en contrôle... Non. Je n'y crois absolument pas.»

Louise Archambault estime que son travail de réalisatrice l'a probablement aidée à lâcher prise dans sa vie personnelle et domestique. «Quand tu fais un film ou une série, tu n'es pas seule, observe-t-elle. Tu ne t'occupes pas de tout, tu dois déléguer, faire confiance aux gens qui t'entourent. C'est la même chose dans un couple. Il faut laisser le conjoint apprendre à faire ses trucs. Les pâtes seront peut-être trop cuites, il n'y aura peut-être pas deux bas pareils, les bains ne seront peut-être pas pris, mais ce n'est pas si grave. Nous, les filles, devrions apprendre à être comme les gars. Ils s'en font moins que nous avec ces choses-là.»

Une qui semble avoir atteint le lâcher-prise, c'est l'animatrice Annie Desrochers. Peut-être faut-il atteindre le chiffre magique de cinq enfants pour y arriver ? Elle m'explique que, dans son couple, les tâches et les responsabilités se divisent selon les contrats de chacun. Lorsqu'elle animait l'émission du matin à Radio-Canada, et avant, lorsqu'elle faisait la revue de presse, son mari s'occupait des matins à la maison et elle accueillait les enfants en fin de journée. Lorsqu'elle animait la tribune téléphonique pour enfants *275-allô*, diffusée en début de soirée sur la même chaîne, c'était le contraire. Elle était responsable des matins, et son mari était présent au souper. «On s'adapte, me dit-elle. Je ne m'impose aucun stress, je fais ce qui me tente. Y a des trucs que je vais faire parce que j'y trouve un plaisir ou un sens. Par exemple, il y a pour moi un sens profond à cuisiner pour ma famille. Il m'arrive aussi de cuisiner mon pain. Je le fais parce que j'aime ça.» Annie cultive un sens de l'humour, un détachement qui doit susciter l'envie de bien des mères. « Hier, un étranger m'a ramené mon bébé, m'a-t-elle raconté en rigolant lorsque je l'ai rencontrée. Les plus grands étaient sortis, il les avait suivis. Il s'est mis à marcher sur le trottoir. J'ai beaucoup ri même s'il est vrai qu'il y aurait pu y avoir un accident. »

Sous-traiter, quand on en a les moyens

L'autre solution qui permet de désamorcer la petite bombe du partage des tâches, c'est bien entendu l'argent. C'est ce que la femme d'affaires Marie-Josée Gagnon, présidente fondatrice de la boîte de communications Casacom, m'explique. Elle me donne quelques exemples de services pour lesquels elle paie afin que la vie de famille roule rondement durant la semaine. « Je n'ai pas le temps de faire à manger, m'explique-t-elle. Faire les courses, puis préparer les repas, ça prend plusieurs heures. Je n'ai pas de temps à consacrer à cela quand je travaille, alors un traiteur vient me porter les repas pour la semaine. »

Marie-Josée m'affirme toutefois que son mari en fait beaucoup. « Il est avocat en litige, il a une grosse "job", mais son agenda reflète ses valeurs et ses priorités et, pour lui, ce qui est le plus important, c'est moi et son fils. Alors il y consacre du temps. Il est très présent auprès de son fils et on partage les spectacles d'école, les parties de soccer, etc. Et comme je dois me rendre à Toronto, où j'ai des bureaux, quelques jours par mois, il en fait parfois plus que moi.

« L'autre décision que j'ai prise, lorsque je me suis lancée en affaires, c'est d'embaucher un chauffeur, poursuit la présidente de Casacom. Je suis la seule entrepreneure de mon âge à Montréal à avoir un chauffeur, mais, pour moi, c'est une question d'efficacité. Pendant que je me rends quelque part, je règle des choses au téléphone. Si j'ai un rendez-vous, il me laisse à la porte. C'est une des meilleures décisions que j'ai prises de ma vie. »

L'argent permet ce genre de solutions. Tout comme il permet d'embaucher une femme de ménage, de sous-traiter la fabrication des repas, ainsi que certaines emplettes. Dans un article publié dans *La Presse* récemment, on disait même que les services de conciergerie qui se chargent d'effectuer toutes ces tâches pour un montant mensuel avaient le vent dans les voiles chez les bien nantis. Mais, même quand on peut se payer tout ce luxe, il reste que certaines responsabilités familiales ne peuvent être effectuées par un étranger. Le parent doit s'impliquer. Et c'est encore une fois plus souvent la mère que le père qui s'en charge. Même Sheryl Sandberg, la numéro 2 de Facebook, malgré son poste à grandes responsabilités et ses millions de dollars, avouait dans son livre *Lean In* que c'est tout de même elle qui pensait aux rendez-vous médicaux et aux détails de la vie quotidienne des enfants.

D'où vient ce sentiment de responsabilité chez les femmes ? Nous vient-il de nos mères ? De notre éducation ? Personnellement, je ne me suis jamais sentie de prédisposition particulière à arpenter les allées d'un supermarché ou à feuilleter des livres de recettes pour planifier les repas d'une semaine. Alors pourquoi est-ce que je le fais ? Parce que je suis une femme responsable et que je veux que mes enfants aient une alimentation équilibrée. Ce sentiment de responsabilité est-il lié à ma nature féminine ? Ou suis-je tout simplement incapable de me défaire de certaines traditions, de certains stéréotypes ?

J'en ai parlé avec Julie Miville-Dechêne. « J'ai l'impression que c'est dans la façon dont on a été élevées, me répond-elle. Ce qui me surprend, c'est que ça ne change pas vraiment avec les nouvelles générations, même si ça tend à se rapprocher. Quand on regarde du côté des jeunes couples, les moins de 35 ans qui ont des enfants, les hommes font 4,2 heures de travail domestique par jour et les femmes en font 5,5 heures par jour. Mais les hommes se consacrent davantage aux soins des enfants...»

Julie est convaincue qu'il y a un blocage chez les femmes qui expliquerait que nous sommes toujours aux prises avec la charge mentale, ce sentiment de devoir tout prévoir, tout planifier. «Il y a cette idée du naturalisme, que c'est normal et que ça ne changera jamais, que ce sera toujours une responsabilité féminine, estime la présidente du Conseil du statut de la femme. Et même les pays nordiques qui sont très avant-gardistes sur ces questions n'ont pas réussi à régler ce problème. Ce sont les mères qui travaillent à temps partiel pour être plus disponibles pour les enfants, pas les pères. Et ce, malgré les nombreuses mesures qui encouragent l'égalité. Et malgré le fait que les couples sont égaux dans le mariage depuis 1920. Donc on a beau changer toutes les lois du monde, ça ne change pas.»

Il y a peut-être une solution, mais, selon Julie Miville-Dechêne, on s'attaquerait à un tabou. Elle fait référence à l'avis du Conseil qui recommande le transfert d'une partie du congé parental au père. Cet avis a soulevé un tollé dans la population québécoise. «Si on veut donner une chance aux hommes de voir s'ils sont capables d'avoir les mêmes responsabilités que les femmes face aux enfants, il faudrait renoncer à prendre l'entièreté du congé parental.»

Pour les femmes, ce serait renoncer à un privilège. « Les enfants, c'est une tâche, mais c'est aussi un grand bonheur, souligne-t-elle. Quand on lit des études féministes sur la famille, on parle toujours du nombre d'heures, des tâches, etc. Mais c'est aussi un grand bonheur. Ce n'est pas pour rien que des femmes veulent prendre le congé au complet. »

La question est la suivante : « Les femmes sont-elles prêtes à partager ce "grand bonheur" avec les hommes ? »

La présidente du Conseil du statut de la femme croit que, si le congé parental était vraiment partagé moitié-moitié, la « charge mentale » se répartirait plus aisément entre les deux parents. « Malheureusement, ajoute-t-elle, nous n'avons pas la recherche pour appuyer cette hypothèse, car nous n'avons pas encore la masse critique d'hommes. »

Une fois n'est pas coutume

Invitée à l'émission *The Colbert Report* en août 2012 à la suite de la publication de son article *Why Women Still Can't Have It All*, l'Américaine Anne-Marie Slaughter répétait son laïus à savoir que, aux États-Unis, les femmes accomplissent les deux tiers des tâches ménagères et des soins aux enfants. Avec son humour caustique habituel, Colbert a répondu : « Mais ne faites pas ça ! Moi, je ne fais pas ça ! »

Au-delà de la blague, c'est une réponse un peu facile, une réponse que bien des hommes servent pour se justifier de ne pas en faire suffisamment à la maison. « Personne ne vous en demande tant », « C'est vous qui vous mettez toute cette pression », « On peut acheter des pizzas congelées pour souper », « Les enfants ne mourront pas s'ils se couchent plus tard »…

Ah ! si c'était aussi facile !

Bien sûr qu'aucun enfant ne mourra de manger de la pizza un soir ou de se coucher plus tard pour regarder le match de hockey au complet. Mais soyons honnêtes. Si par le passé les pères pouvaient se permettre ce genre d'incartades, c'est parce qu'ils savaient que c'était exceptionnel, que la mère veillait au grain le reste de la semaine, qu'« une fois n'est pas coutume ». Mais à long terme, cette attitude ne tient pas la route. Il faut un certain cadre pour élever des enfants, on n'en sort pas.

L'autre raison qui explique cette attitude de « laisser-aller » de la part des pères, c'est qu'avant les pères voyaient beaucoup moins leurs enfants et se retrouvaient rarement seuls avec eux en l'absence de la mère. Quand c'était le cas, c'était exceptionnel. Ils avaient donc envie que ce moment soit agréable. Cela ne les intéressait pas de donner le bain, de réviser les leçons ou de s'acquitter d'autres tâches parentales contraignantes. Ils préféraient être le parent cool, celui avec qui on fait la fête, avec qui on brise les règles.

Les choses ont changé, et les pères sont beaucoup plus présents auprès de leurs enfants. Leur présence n'est plus une exception, un événement spécial. Ils font partie du quotidien et doivent, eux aussi, faire respecter des règles.

Depuis l'instauration du congé parental au Québec, 95 % des pères ont pris les 5 semaines qu'on leur allouait (s'ils ne les prenaient pas, ils les perdaient). Une petite révolution qui a permis à bien des hommes de veiller aux soins du nouveau-né, de s'attacher à lui.

Je suis entièrement d'accord avec Julie Miville-Dechêne sur la question du congé à la suite d'une naissance. Une plus grande part devrait être obligatoirement allouée au père afin qu'il apprenne à se débrouiller. Je le vois continuellement autour de moi : plus les hommes sont seuls avec leurs enfants, mieux ils apprennent à s'en occuper.

Le vrai partage, une fiction ?

Dans la sitcom québécoise *Les Parent*, le personnage de Natalie, incarné par Anne Dorval, fait la lessive pas mal plus souvent que son chum Louis-Paul, incarné par Daniel Brière. Pourtant, le couple se chicane rarement à propos du partage des tâches. Maman fait souvent le lavage, c'est vrai, mais c'est davantage papa qui revient les bras chargés de sacs d'épicerie. «Peut-être parce que je déteste faire le lavage, me lance en souriant Jacques Davidts, l'auteur principal de la série à succès qui s'est beaucoup inspiré de la vie avec sa femme et ses trois enfants pour écrire ses textes. «Au Québec, on a toujours prôné l'égalité, mais l'égalité, ça ne veut pas dire "la même chose", m'explique-t-il. Je pense que si les gens étaient plus à l'écoute de l'autre et qu'ils acceptaient que l'autre n'est pas comme eux, il y aurait beaucoup moins de problèmes. Je trouve que plier les pantalons, ce n'est pas important, mais, toi, oui, alors d'accord, je vais plier les pantalons. En échange, moi, je veux qu'on parte en vacances deux semaines par année sans les enfants, mais pas toi. Tu m'accompagnes donc, et ce, même si tu sais que les enfants vont pleurer et s'ennuyer. Quand les deux membres d'un couple acceptent les compromis et sont à l'écoute l'un de l'autre, tout va bien.»

La méthode islandaise

En janvier 2015, je l'ai écrit plus tôt, j'ai eu la chance d'aller faire un reportage en Islande pour *La Presse*. Depuis 6 ans, ce petit pays occupe la tête de l'indice de la parité hommes-femmes élaboré par le Forum économique mondial (FEM), une fondation à but non lucratif qui organise entre autres le célèbre sommet de Davos.

Le Canada, lui, occupe le 19ᵉ rang.

L'Islande est le pays européen où on trouve la plus grande proportion de femmes sur le marché du travail (82 %). Le taux de fertilité des Islandaises tourne actuellement autour de 1,85 alors qu'il est de 1,69 au Québec.

Fait intéressant : en Islande, trois des neuf mois du congé de maternité sont réservés exclusivement aux pères. « Depuis l'implantation du congé de paternité, les hommes s'impliquent davantage dans l'éducation des enfants, m'a confié Ingólfur V. Gíslason, professeur associé au département de sociologie à l'Université d'Islande. En 2011, le ministre des Affaires sociales a créé un groupe de travail pour penser à des façons d'impliquer davantage les hommes dans la réflexion sur l'égalité. Les hommes font partie de la solution. »

Et si on importait un peu d'esprit islandais dans la manière dont on éduque les enfants ? J'aime bien la proposition informelle que l'écrivaine et professeure de littérature Martine Delvaux a déjà faite sur Facebook. Elle proposait qu'on instaure un cours de conciliation travail-famille à l'école, un peu comme les cours d'économie familiale d'une autre époque. Quelle bonne idée !

J'élargirais et j'ajouterais des cours destinés aux garçons ET aux filles sur les bases de la cuisine de tous les jours, la lessive, la tenue de comptes, etc. Je pense que ce serait là une façon de responsabiliser davantage les garçons, de leur envoyer le message que l'organisation familiale les concerne tout autant que les filles.

L'autre solution est plus difficile. Elle s'attaque à une façon d'être qui est implantée depuis longtemps. Et elle demande un immense changement d'attitude.

Il faudrait que les femmes apprennent à lâcher prise. Vraiment.

Oui, on en parle souvent dans les magazines féminins, du fameux lâcher-prise. On l'apprête à toutes les sauces. Mais dans le contexte du partage des tâches et de l'organisation familiale, le lâcher-prise des femmes est assurément une des clés de la solution.

J'ai trop souvent observé des femmes infantiliser leur conjoint en lui montrant à faire les choses à «leur» manière. Je suis moi-même coupable de cela. Je sais, cette attitude part d'un bon sentiment : nous nous sentons responsable de transmettre ce que nous avons appris, nous voulons bien faire. Mais force est de constater qu'en faisant cela nous coupons les ailes aux hommes, nous les empêchons de prendre une initiative.

Laissons-les prendre leur place, expérimenter, se tromper.

Les pères ne sont pas des mères au masculin. Ils ont leur propre façon d'aborder leur rôle de parent, et cette façon doit pouvoir cohabiter avec celle des mères. Cessons de remplir le vide, de nous imposer en unique modèle, cessons d'aller au-devant des besoins et des obligations domestiques. Laissons-leur l'espace pour jouer leur rôle de père qui s'implique.

CHAPITRE 6

Les pères, au cœur
de la conciliation travail-famille

Les gens me demandent souvent si le fait de devenir président a rendu plus difficile la possibilité de passer du temps avec Michelle et nos filles. Mais la surprenante vérité, c'est qu'être à la Maison-Blanche a rendu notre vie familiale plus normale que jamais.

Barack Obama, président des États-Unis, 2015

Dans les années 1970 et 1980, lorsqu'on montrait un père seul qui s'occupait de ses enfants dans un film ou une émission de télévision, c'était toujours une situation exceptionnelle. Il était nouvellement veuf ou séparé, la maman était sans doute partie en voyage – pour aller aider une amie ou un membre de sa famille à l'étranger, jamais pour le travail –, et le père se retrouvait un peu beaucoup désemparé.

Il ne savait généralement pas faire à manger, découvrait avec étonnement l'emplacement des choses dans la cuisine et dans la salle de bain, et ces quelques heures ou jours passés à la maison étaient souvent l'occasion de refaire connaissance avec ses enfants.

J'exagère à peine.

Ça aurait pu être un drame tellement la situation était triste, mais c'était souvent une comédie. On insistait sur l'incongruité de la situation pour mettre en scène des moments rigolos comme le père qui fait brûler le souper, qui fait déborder la baignoire, qui perd le contrôle. Hollywood en a même fait un film en 1983 : *Mr. Mom*.

Dans ces fictions, l'incompétence du père n'était jamais source d'indignation, plutôt une source d'amusement.

Sans doute que certains pères en avaient marre de se voir dépeints comme des imbéciles dans leur propre maison et auprès de leurs enfants, mais rares étaient ceux qui s'insurgeaient à voix haute.

À cette époque, à la télé comme au cinéma, le père représentait surtout le patriarche, la figure raisonnable qui distribuait l'argent qu'il avait durement gagné ou les punitions, lorsque sa femme avait épuisé ses réserves d'autorité.

Le père incarnait la sagesse.

Je suis un peu trop jeune pour me souvenir de *Papa a raison,* mais je me souviens de *Quelle famille!*, un téléroman québécois écrit par Janette Bertrand et Jean Lajeunesse qui a marqué les années 1970. C'étaient les années hippies, la fin de l'omniprésence de la religion, la découverte de la drogue, l'émancipation des femmes. Le père était alors un homme un peu plus proche de ses enfants qu'à l'époque de *Papa a raison.* Il ne portait pas souvent le tablier, il faisait rarement le ménage et il était bouleversé dans ses certitudes par l'éclatement du Québec traditionnel.

Ces modèles de pères me reviennent parfois à l'esprit quand je regarde l'émission *Les Parent*, une des séries les plus populaires au Québec, qui marquera sans aucun doute la jeunesse de mes enfants tellement elle décrit bien la réalité des familles québécoises de la classe moyenne, la nôtre y compris.

Dans *Les Parent*, le personnage de Louis-Paul est un père présent. Il s'inquiète des enfants autant que sa conjointe Natalie. Il partage les tâches, les lunchs, les repas. On ne sent pratiquement aucune tension dans ce couple qui incarne l'image parfaite de l'égalité homme-femme. Trop beau pour être vrai ? Je ne pense pas. Je crois que les pères changent ou sont en train de changer. Pour le mieux.

« Je suis avec ma blonde depuis 25 ans et, honnêtement, il n'y a jamais de tension chez nous à propos du partage des responsabilités, m'assure Jacques Davidts. Et ça inclut les enfants. Les premières années, je travaillais de longues heures en publicité et ma femme, qui travaillait à la maison, était là pour les garçons. Quand j'ai laissé le monde de la publicité et que je me suis lancé à mon compte, ça m'a permis d'être à mon tour plus présent auprès des enfants. »

C'est un peu le même discours chez Vincent Vallières, auteur-compositeur interprète, qui est presque 20 ans plus jeune que Jacques Davidts et qui, lui aussi, a décidé de rechercher un certain équilibre entre la carrière et la famille. Vincent habite Magog, à 90 minutes de Montréal, là où « ça se passe » quand on mène une carrière comme la sienne. Qu'à cela ne tienne, il a accordé la priorité à sa vie de famille et il fait la navette entre son quartier hyper familial et la métropole.

«Quand ma première fille est née, en 2005, on habitait au deuxième étage d'un duplex, raconte l'auteur d'*On va s'aimer encore*. Quand mon deuxième est arrivé, on s'est posé la question : "On va où ?" On n'avait pas l'argent pour acheter le duplex, alors on a décidé de retourner en Estrie. Je suis originaire de Sherbrooke, mais Magog était plus proche et il y avait un quartier familial qui nous intéressait. Notre troisième fille est née là-bas.»

Aujourd'hui, la petite famille a un pied-à-terre à Montréal pour faciliter les visites en ville de Vincent. Comme le chanteur n'avait pas d'imprésario, c'est sa conjointe qui organise son agenda. Ainsi, le couple peut être plus présent auprès des enfants. «On a choisi de ne pas les envoyer au service de garde, souligne Vincent qui est entraîneur adjoint pour l'équipe de hockey de son fils. Le défi de la famille c'est l'équilibre. Pour y arriver, il faut savoir dire non à certaines choses.

«Quand j'étais jeune, mes parents étaient très présents, poursuit Vincent Vallières. Ceux de ma blonde aussi. Alors on a reproduit pour nos enfants ce que nous avions vécu, nous, quand nous étions jeunes. Aujourd'hui, nous pouvons offrir un quartier et une présence à nos enfants, qui représentent pour nous une forme d'idéal.»

Mais comment fait-on pour concilier la vie de créateur et celle de père? Avec trois enfants, Vincent a découvert que la créativité, ça se structure. «La famille m'a obligé à définir le temps de travail. J'en avais plus avant, mais je l'utilisais mal. Aujourd'hui, quand j'ai deux ou trois heures dans une journée, j'essaie d'y faire honneur.»

Quand il est en tournée, le chanteur parle à ses enfants au téléphone. Mais il reconnaît que la famille l'a forcé à faire certains choix de carrière. Comme celui de renoncer à une percée en Europe, du moins pour l'instant. « Il aurait fallu que je parte plusieurs semaines, que je recommence pratiquement à zéro. Ça ne me tentait pas. Je ne suis pas carriériste, je ne ressens pas le besoin que tout le monde me connaisse dans la francophonie, alors j'ai choisi de ne pas le faire. »

Vincent Vallières et Jacques Davidts ne sont évidemment pas les seuls hommes à vouloir concilier leur vie de famille avec leur carrière. Et reconnaissons que, dans leur cas, leur choix professionnel leur permet une flexibilité à laquelle la majorité des travailleurs n'ont pas accès. Reste que les hommes sont de plus en plus nombreux à faire cette réflexion, à ne pas laisser à leur conjointe le poids de tout assumer, à vouloir être de véritable coparents. De plus en plus nombreux, mais pas assez pour faire changer les choses. Pas encore. Mais je sens que cela ne saurait tarder.

Un père à la maison

Dans l'édition de septembre 2015 du magazine *The Atlantic*, un texte en particulier a attiré l'attention. Intitulé *Pourquoi j'ai placé la carrière de ma femme avant la mienne*, ce long papier était signé Andrew Moravcsik. Il se trouve que ce professeur d'université est le conjoint d'Anne-Marie Slaughter, l'auteure du fameux texte *Pourquoi les femmes ne peuvent pas tout avoir* publié dans le même magazine trois ans plus tôt.

Dans ce long plaidoyer en faveur du rôle du père, M. Moravcsik raconte qu'il est le parent principal dans le couple, celui qui se charge de ce que j'appellerais «l'intendance» – devoirs, leçons, contacts avec l'école, rendez-vous médicaux, etc. Il explique que sa femme a toujours été plus ambitieuse que lui et que leur arrangement lui convient parfaitement.

Le texte de M. Moravcsik représente à mon avis une petite révolution dans le discours populaire. En effet, rares sont les hommes qui admettent avoir moins d'ambition que leur femme. Et rares sont ceux qui parlent publiquement de leur rôle de père au quotidien, qui revendiquent leur désir d'être responsable des soins prodigués aux enfants, de la discipline, de leur alimentation, de leurs activités parascolaires, bref, des tâches traditionnellement associées aux mères. En général, les pères ne parlent pas ou parlent peu du quotidien. Or, rappelle M. Moravcsik, derrière bien des femmes de carrière se cachent des pères présents qui s'occupent des enfants pendant que maman va conquérir le monde. C'est un retour du balancier en quelque sorte.

On a présenté la lettre de M. Moravcsik comme une contrepartie au *Pourquoi les femmes ne peuvent pas tout avoir*, le cri du cœur de sa femme. Je trouve plutôt que sa lettre est la réponse à *Lean In* de Sheryl Sandberg. Alors que la patronne de Facebook invitait les femmes à foncer et à ne pas renoncer à leur carrière parce qu'elles voulaient des enfants, M. Moravcsik invite les hommes à foncer et à s'impliquer à fond dans la vie de famille, à jouer pleinement leur rôle de père, à prendre le *lead* auprès des enfants.

Il vise juste.

Je ne crois pas que tous les couples peuvent se comparer à lui et son épouse. Ces deux-là ont des professions et des carrières exceptionnelles qui ont peu à voir avec celles du commun des mortels. Mais je crois que peu importe la profession ou le métier qu'on pratique, l'implication des pères est une des clés qui permettent d'envisager l'équilibre entre la vie professionnelle et la vie personnelle à l'intérieur d'un couple. Sans doute la clé la plus importante.

Denis Dion peut en témoigner, lui aussi. Ce père de 3 enfants est le mari de Jacynthe Côté qui jusqu'en 2014 était chef de la direction de la division Alcan au sein de la multinationale Rio Tinto Alcan. Elle a, depuis, quitté l'entreprise pour être auprès d'une de ses filles, Laurie, qui combat un cancer.

Le couple s'est rencontré à l'Université Laval et célébrera bientôt ses 41 ans de mariage.

Si Jacynthe Côté a pu avoir des enfants tout en occupant une carrière prestigieuse chez Alcan, c'est en partie grâce au fait que M. Dion est resté à la maison.

« Au départ, c'est un accident qui a fait en sorte que je suis devenu un papa à la maison, m'explique ce père de jeunes adultes aujourd'hui âgés de 24, 21 et 20 ans. Avant l'adoption de mon premier fils, j'étais infirmier à temps partiel occasionnel et je travaillais donc sur appel. » Mme Côté, qui travaillait au Lac-Saint-Jean, a été transférée sur la Rive-Sud de Montréal. « J'ai eu un accident d'auto et j'ai eu les deux pieds fracturés, raconte Denis Dion. Il m'a fallu deux ans en réadaptation. Ce n'est pas grave, c'est juste les pieds, mais quand j'ai recommencé à travailler, j'avais plein de restrictions. Par exemple, je ne pouvais pas rester debout trop longtemps. C'était impossible de travailler comme infirmier dans un hôpital. »

C'est à ce moment que son épouse a été mutée en Angleterre, un déménagement qui a en quelque sorte scellé le destin de Denis Dion. « Nous avons déménagé toute la famille et je n'ai jamais retravaillé, se rappelle-t-il. J'ai dû apprendre l'anglais et c'est moi qui accompagnais les enfants partout : à l'école, chez le médecin, etc. Des fois, Jacynthe revenait à Montréal pour une réunion et je restais là-bas tout seul avec les trois enfants. On est restés là un an et demi, et j'ai adoré ça. »

Denis Dion m'explique qu'à aucun moment sa femme et lui ne se sont assis ensemble pour se dire que, désormais, leur famille allait fonctionner ainsi : papa à la maison et maman au travail. « Ça s'est fait tout seul, me dit-il. De toute façon, j'avais fait le calcul et, à la fin d'une année de travail, il ne me restait que 1500 $ nets dans mes poches. Quand on sait qu'à l'époque les garderies coûtaient 20 $ et qu'on avait 3 enfants, le calcul était assez simple à faire. »

Bien sûr, être un papa à la maison présente certains défis et bouscule l'image qu'on se fait du père pourvoyeur.

« J'étais le seul de mes amis qui ne travaillait pas, avoue M. Dion. Quand j'arrivais à l'aréna, s'il y avait des parents, c'étaient des femmes. J'étais le seul père. »

On s'en doute, les semaines de Jacynthe Côté étaient bien remplies. « Les petites semaines, elle travaillait en moyenne 80 heures, se souvient son mari. Elle partait à 6 heures et on ne savait pas quand elle allait revenir. Je disais aux enfants : ne vous en faites pas, elle revient toujours. Quand elle partait en

Australie, les voyages étaient plus longs. Puis elle revenait à Montréal deux ou trois jours, assistait à un souper-bénéfice et repartait. Souvent, elle n'était pas là le week-end. C'était un feu roulant, j'étais vraiment seul.»

Le couple avait une seule entente: quand Mme Côté était à Montréal, elle s'occupait pleinement des enfants. «Moi, je m'effaçais et je m'occupais seulement de la maison, affirme son mari. Grâce à la technologie, Jacynthe réussissait à garder le contact quotidien avec les enfants. On achetait même en double les livres d'école, comme ça, elle pouvait les lire de son côté et en discuter avec les enfants au téléphone.»

Denis Dion me raconte tout ça en souriant. Il est très honnête: s'il n'avait pas eu un accident, les choses se seraient passées autrement. Mais il ne regrette rien, car il a passé des années extraordinaires avec ses enfants. Et puis sa femme gagnait suffisamment bien sa vie pour que l'argent ne soit pas un problème. «Sur le plan financier, on avait un seul compte de banque. On s'est toujours fait confiance et on a développé la même réciprocité avec les enfants. Il y avait un portefeuille et les enfants savaient où le trouver, mais jamais ils n'ont pigé dedans, sauf pour une urgence, et je n'ai jamais douté d'eux.»

Denis Dion est bien conscient que la plupart des hommes se sentent mal à l'aise quand leurs conjointes gagnent plus qu'eux. «Dans mon cas, la barre était haute, dit-il en riant. Si j'avais continué à travailler comme infirmier, le salaire n'aurait pas été énorme et, en plus, il m'aurait fallu une gardienne pour aller travailler la nuit.»

A-t-il trouvé difficile d'être «le mari de»? Après tout, ils sont rarissimes, ces hommes qui restent à la maison pour s'occuper de leurs enfants pendant que leur épouse se consacre à leur carrière. Il éclate de rire. « Je trouve ça plutôt drôle, admet-il. Ça ne me dérange pas d'être le mari de Jacynthe, mais au début, dans les soupers d'affaires ou des levées de fonds, quand les autres hommes me demandaient ce que je faisais dans la vie et que je leur répondais : "Je suis un père à la maison", il y avait un malaise. Je voyais dans leur visage qu'ils étaient déçus : il n'y aurait pas moyen de faire des échanges de cartes d'affaires et de tisser des liens avec moi. Je ne les intéressais pas. »

« J'avoue que je trouvais ça frustrant, poursuit M. Dion. À la longue, j'ai trouvé des trucs et j'ai envoyé les enfants à ma place en disant à ma femme : "Ben quoi, il faut bien que les enfants s'habituent à aller dans des événements..." Et moi, je restais à la maison bien tranquille. (*rires*) »

La reconnaissance de ses pairs, Denis Dion ne l'a pas beaucoup eue. Comme les femmes qui restent à la maison ne l'ont pas non plus. Il est pourtant un modèle qui pourrait en inspirer d'autres. Et je devine qu'il aura toujours l'éternelle reconnaissance de sa femme.

Papa, où t'es ?

Lorsque le chef du parti Option nationale, Jean-Martin Aussant, a annoncé qu'il se retirait de la vie politique pour passer plus de temps auprès de ses jumeaux, la nouvelle a pris tout le monde par surprise. Très populaire, surtout auprès des jeunes électeurs, le politicien avait le vent dans les voiles, et nombreux sont ceux qui lui promettaient un brillant avenir en politique.

On entend souvent des politiciens et des hommes d'affaires évoquer leur famille quand ils quittent leur poste, sans vouloir donner trop d'explications. La famille devient alors bien pratique comme excuse pour s'évanouir dans la nature.

Mais dans le cas de M. Aussant, c'était bel et bien vrai. Il voulait vraiment passer du temps auprès de ses enfants et les voir grandir.

Même chose pour Mohamed El-Erian, cet Américain qui était à la tête du fonds d'investissement PIMCO et qui gérait des trillions de dollars. Un soir que sa fillette ne voulait pas se brosser les dents, elle lui a présenté une liste des 22 événements qu'il avait ratés durant la dernière année, incluant sa première journée à l'école et la soirée d'Halloween. Il faut dire que M. El-Erian était au bureau tous les matins à 4 h 15 et se couchait tous les soirs vers 21 heures.

M. El-Erian, qui a raconté son histoire dans les pages du magazine *Worth*, a dû se rendre à l'évidence : il ne voyait pas suffisamment son enfant. Il s'est incliné devant les arguments de sa fille et a quitté son emploi. Non, il n'a pas décidé de rentrer à la maison pour mitonner de petits plats à sa famille. Il est devenu un consultant très recherché. Mais son horaire beaucoup plus flexible lui a permis d'aller conduire sa fille à l'école le matin et de partager les responsabilités familiales avec sa femme.

Bien sûr, ces deux hommes, El-Erian et Aussant, avaient les moyens financiers de faire ces choix. Et bien sûr, vous entendrez rarement une femme déclarer qu'elle laisse son emploi pour s'occuper de ses enfants. Habituellement, elle réussit à faire les deux. Ou alors elle quitte son emploi parce qu'il y a une situation urgente, comme dans le cas de Jacynthe Côté.

On pourrait hausser les épaules et dire que le geste que ces hommes ont posé n'est pas grand-chose. Que les femmes font des choix déchirants entre leur travail et leur famille tous les jours sans organiser une conférence de presse pour le crier sur tous les toits. On pourrait se moquer gentiment des hommes en leur disant : « Rappelez-nous quand ce sera vraiment sérieux, quand vous serez plus nombreux à vouloir "passer du temps auprès de votre famille". »

Mais je crois que ces deux histoires en disent assez long sur les changements qui s'opèrent dans notre société. De plus en plus d'hommes jouent ou ont envie de jouer un rôle plus important auprès de leurs enfants. J'écrivais plus tôt que la conciliation travail-famille est encore une affaire de femmes. Et c'est vrai que, dans l'espace public, ces questions sont encore portées et débattues par des femmes. Mais dans l'intimité des familles et dans les cercles sociaux, les hommes aussi reconnaissent qu'ils sont aux prises avec les mêmes problèmes que les femmes. Eux aussi se demandent comment faire pour tout avoir, la carrière dont ils rêvent, la vie de famille enrichissante et la vie sociale satisfaisante.

Dans mon environnement, je vois plein d'exemples qui me confirment que les choses bougent.

Le simple fait qu'un livre intitulé *The Working Dad's Survival Guide* existe est un signe que la réalité des hommes n'est plus la même.

Le fait que le nombre de pères qui restent à la maison pour s'occuper des enfants a doublé en 25 ans aux États-Unis (ils étaient 2,2 millions en 2010 selon le Pew Research Center) montre que nous vivons une petite révolution.

Le fait que l'acteur américain Ashton Kutcher se désole publiquement sur Facebook de l'absence d'installations pour changer les couches des bébés dans les toilettes pour hommes est une autre preuve. Preuve que les mentalités changent, que les choses évoluent. Le fait de voir de plus en plus d'hommes aller chercher et conduire leurs enfants à l'école, les accompagner chez le dentiste ou les promener en poussette est un signe réjouissant qui indique un avenir plus égalitaire que ce que nous avons connu jusqu'ici.

L'exemple du président-fondateur de Facebook, Mark Zuckerberg, qui a pris deux mois de congé de paternité avec son bébé et qui a partagé plein de moments père-fille sur sa page Facebook (vous me direz qu'il a intérêt à le faire, mais quand même...) est réjouissant quand on sait qu'il représente un modèle pour beaucoup d'hommes à travers le monde.

Le 5 novembre 2015, quelque 24 heures après que Justin Trudeau a prêté serment comme premier ministre du Canada, il accordait une entrevue à la chef d'antenne d'ICI Radio-Canada Télé, Céline Galipeau. À la fin de l'entretien, cette dernière a posé une question quasi inimaginable il y a quelques années encore. Elle a demandé au nouveau premier ministre : « Comment allez-vous organiser votre conciliation travail-famille ? », une question jusqu'ici surtout réservée aux femmes.

« J'ai eu des exemples assez extraordinaires avec mes propres parents, a répondu Justin Trudeau. Ils étaient là pour nous, les enfants, et ils avaient une présence qui m'a permis d'avoir une vie de famille normale et équilibrée malgré tout ce qui était anormal autour de nous.

«Quand je suis avec les enfants, a poursuivi le premier ministre, je mets de côté le téléphone et les dossiers, et je suis présent avec eux, pas en train de penser au fait que je dois appeler le premier ministre de la France... On veut qu'ils aient une enfance la plus normale possible tout en comprenant qu'ils ont la chance et la responsabilité de vivre dans un contexte particulier. Ça vient avec des hauts et des bas. Autour de la table des ministres, on a des parents de plus de 50 enfants en bas âge. La conciliation travail-famille, c'est un de mes messages durant la campagne. C'est essentiel. Si on est politicien et on sert nos concitoyens, ce n'est pas en dépit, mais à cause du fait que nous sommes parents et que nous voulons bâtir un monde meilleur pour nos enfants.» Voilà un discours qu'on entend rarement de la bouche d'un politicien. L'avenir nous dira si ce gouvernement sera à la hauteur de ces réjouissantes paroles.

Un changement de valeurs

C'est en partie grâce au mouvement féministe que les hommes s'impliquent davantage auprès de leurs enfants. Ce sont les féministes qui ont poussé pour que l'État québécois adopte des mesures profamilles qui impliquaient les pères. Et c'est le mouvement des femmes qui, le premier, a revendiqué un partage plus juste des tâches et des responsabilités domestiques.

À l'époque de ma mère, quand les pères revenaient à la maison après leur journée de travail, ils n'aidaient pas (sauf exception) à préparer le souper et à donner le bain aux enfants. C'était la tâche des mères qui ne travaillaient pas à l'extérieur de la maison. Puis quand les femmes ont commencé à travailler, elles ont continué à assumer les tâches domestiques. Les pères les plus évolués donnaient un coup de main au repas ou lisaient une histoire à leur enfant avant qu'il aille au lit. Mais la plupart du temps, le rôle du père se résumait à jouer avec les enfants (s'il n'était pas trop fatigué), à commenter le bulletin scolaire et à faire la discipline (attends que ton père revienne du travail…).

Les choses ont changé, mais ce serait un peu naïf de dire que tout est réglé. On ne change pas des façons de faire qui durent depuis si longtemps du jour au lendemain.

Parfois, il faut forcer les choses.

C'est ce que m'explique Marianne Prairie, cette jeune auteure et journaliste féministe dont je parlais plus tôt, mère de deux enfants. Dans son couple, m'assure-t-elle, les discussions se sont toujours faites à deux. «Au début, c'était moi, la pourvoyeuse. Au premier bébé, on a partagé ça presque équitablement. Mon chum a pris beaucoup de congés parentaux, on partageait les rendez-vous des enfants…» Les choses se sont un peu gâtées par la suite. «Mon chum est un *workaholic*, il travaillait beaucoup. Un moment donné, j'ai pété ma coche, j'ai exigé qu'il soit présent, me raconte Marianne. C'était un *pattern*, il se valorisait par le travail.» La jeune femme a alors présenté un ultimatum à son chum, ce qui a forcé ce dernier à faire une prise de conscience. «Il a réévalué son échelle de priorités et ça l'a marqué suffisamment pour qu'il n'ait plus de doutes par la suite.»

Féministe engagée, Marianne raconte ce début de vie familiale un peu chaotique avec philosophie. «Mon chum a été élevé par une mère qui faisait tout pour lui et ses deux frères, me dit-elle. Je crois que les choses sont plus faciles avec des hommes qui ont été élevés par des féministes et qui ont appris à assumer les tâches dans une maison.»

Un écart qui diminue

Une autre façon de mesurer les changements qui s'opèrent dans la société est de regarder du côté des statistiques. Là aussi, les chiffres nous indiquent que les hommes prennent plus de place qu'avant à l'intérieur du foyer.

Selon les dernières données de l'Institut de la statistique du Québec, les femmes consacrent en moyenne 3,7 heures par jour aux tâches ménagères contre 2,5 heures pour les hommes. On peut se réjouir en se disant qu'en 20 ans l'écart a diminué en passant de 2 heures à 1,2. (On peut aussi se désoler qu'il y ait encore un écart après 20 ans, mais bon, regardons le verre à moitié plein cette fois-ci.)

La professeure et chercheuse Diane-Gabrielle Tremblay a publié une multitude d'ouvrages et d'articles scientifiques sur le sujet. «Les dernières études de Statistique Canada montrent qu'il y a une progression de la participation des pères, me confirme-t-elle. On les voit faire les courses, les repas.»

Vrai, mais quand on creuse un peu, on découvre que les traditions demeurent bien ancrées dans les familles et que les mères se retrouvent souvent dans le rôle du parent qui décide, tandis que le père agit en complémentarité. Plus les pères s'impliqueront, plus ces comportements finiront par changer.

Tout comme l'attitude des pères à l'endroit du congé de paternité a changé au fil des ans. «Quand on faisait des entrevues avec des pères en 1998, poursuit Mme Tremblay, on observait des réticences de la part de leur milieu de travail, des collègues qui passaient des remarques lorsqu'un homme s'absentait pour un enfant, etc. Puis en 2006, le Québec a adopté le congé parental. La première année, 56 % des pères l'ont pris.

Aujourd'hui, ce sont environ 80 % d'entre eux qui le prennent au-delà des semaines obligatoires.»

De l'avis de la chercheuse, le Québec se rapproche beaucoup des pays nordiques qu'on cite souvent en exemple. Le concept de congé non transférable à la mère a un effet. Et on observe une grosse différence avec le reste du Canada anglais où seulement 15 % des pères prennent un congé de paternité.

Or, le congé de paternité pèse beaucoup dans la balance. Selon une étude réalisée auprès de 10 000 enfants américains par Lenna Nepomnyaschy, professeure de l'École de travail social de l'Université Columbia, on constate que les pères qui ont pris deux semaines ou plus de congé parental avaient davantage tendance à accomplir des tâches comme changer les couches d'un bébé, le nourrir ou lui donner son bain. Les pères qui prenaient moins de deux semaines de congé, eux, s'impliquaient autant que ceux qui ne prenaient aucun congé, c'est-à-dire très peu.

Les super papas islandais

Revenons à l'Islande un instant.

Là-bas, aucun doute que le congé de paternité de trois mois destiné exclusivement aux pères, et implanté en 2000, a eu des effets bénéfiques. Mais tout n'est pas parfait pour autant. Il subsiste une inégalité salariale évaluée à environ 13 % en faveur des hommes. Et la parité en politique n'est toujours pas atteinte même si le pays a déjà été dirigé par une femme.

Même le congé de paternité n'est pas parfait. Certains souhaiteraient que le montant des prestations soit plus élevé (elles sont en moyenne de 80 % du salaire de la dernière année), car la crise économique a eu un effet négatif : dans une période incertaine, les familles ont eu tendance à miser sur le parent qui rapportait le plus et c'était souvent l'homme. Résultat : ce dernier était moins porté à prendre un congé de paternité, car il se traduisait par une diminution du revenu familial.

Mais quand tout va bien et que les pères prennent le congé qui leur revient, l'impact sur le partage des tâches est direct : les papas islandais participent davantage aux soins des enfants et aux travaux domestiques. D'autant plus que, en Islande, je l'ai dit plus tôt, la majorité des femmes travaillent. C'est dire que la majorité des familles doivent concilier travail et vie familiale.

À l'Université de l'Islande, à Reykjavik, j'ai rencontré un chercheur spécialisé dans les études sur les hommes. Il avait mené une étude sur les nouveaux pères. Il leur avait demandé si le fait de rester à la maison et de s'occuper des enfants avait un impact négatif sur l'image qu'ils avaient d'eux-mêmes, sur leur virilité. « Bien franchement, m'a confié le chercheur, les hommes ne comprenaient pas le sens de ma question. Ils ne comprenaient pas qu'on puisse faire une étude sur ce sujet tellement, à leurs yeux du moins, leur rôle de père était une évidence et ne venait en rien menacer leur virilité ou leur image d'homme. » Des conversations avec des pères islandais m'ont confirmé les propos de ce professeur. Et ce n'était pas que des paroles. J'ai aussi parlé avec plusieurs Islandaises en leur demandant, un peu à la blague : « Dites-moi, ce père islandais parfait qui fait la vaisselle et va conduire les enfants à l'école sans jamais bougonner, existe-t-il vraiment ? »

Il semble que oui.

Le point de vue du père

Les hommes sont de plus en plus nombreux à vouloir s'impliquer auprès des enfants. C'est réjouissant. Ils ont toutefois peu de modèles pour les inspirer puisqu'en général leur père ne s'impliquait pas ou alors très peu. Tout est donc à construire. C'est ce qui fait qu'un homme qui passe du temps auprès de ses enfants sera toujours l'objet d'admiration et d'encouragement de la part de son entourage et de la société. Après tout, sur ce plan-là du moins, il ne peut être que meilleur que son propre père (au contraire des femmes qui se comparent souvent à des mères qui ont été très présentes à la maison et qui ne peuvent qu'en faire moins puisqu'elles travaillent).

J'en discute avec Raymond Villeneuve qui est à la tête du Regroupement pour la valorisation de la paternité (un groupe qui n'a rien à voir avec les Fathers-4-Justice et autres groupes extrémistes, je le précise).

«La question qu'on doit se poser est : "Comment peut-on construire la famille ensemble, hommes et femmes?"» me lance-t-il d'emblée. Actuellement, il y a un discours important porté par les femmes et on commence à en avoir un porté par les hommes. Mais on dirait qu'ils sont exclusifs l'un l'autre, qu'on a de la difficulté à les mettre ensemble. Comment ça se fait?»

Raymond Villeneuve a un début de réponse à sa propre question : «Historiquement, m'explique-t-il, les changements sociaux concernant la famille venaient des femmes. Un jour, les femmes ont dit : "On est tannées, on voudrait qu'il y ait plus d'égalité."

« Au Québec, les politiques familiales sont devenues des outils importants pour l'égalité, poursuit-il, et en conséquence, les hommes ont disparu du portrait, en quelque sorte. C'est comme s'ils étaient de plus en plus présents au quotidien, mais de moins en moins présents dans les politiques publiques.

« Or, insiste-t-il, on ne peut pas parler de famille sans parler des hommes. Ils font partie de l'équation. Sans parler de complot, je remarque cependant qu'ils ont tendance à disparaître des programmes sociaux supposément destinés à la famille. »

Un des exemples que me cite Raymond Villeneuve est la déclaration de naissance du Québec. Depuis 2006, on demande d'indiquer le nom de la mère biologique ainsi que celui de l'autre parent. « C'est assez poche, "l'autre parent", non ? me lance-t-il. Je sais que ça part d'une bonne idée qui est de vouloir introduire le conjoint de même sexe, mais, en faisant cela, on a effacé l'appellation "père". » Plusieurs pères québécois auraient porté plainte auprès de l'État civil selon lui, mais on leur aurait répondu qu'il était trop compliqué de modifier de nouveau le formulaire.

Autre exemple de l'invisibilité des pères selon Raymond Villeneuve : le deuil périnatal. « Si le bébé à venir meurt avant la naissance, la mère a droit à un congé, mais pas le père, observe-t-il. La mère a donc le droit de vivre son deuil, mais seule. Le père, lui, n'y a pas droit. »

Troisième exemple, celui du programme de soutien aux parents en difficulté. « Tu ne peux pas inscrire le nom du père dans le programme. Pourtant, une famille monoparentale sur 4 au Québec (24 % en 2013 selon l'Institut de la statistique) est dirigée par un homme. C'est comme si on ne le reconnaissait pas.» Ces exemples montrent, d'après lui, que le système crée des obstacles à l'engagement paternel.

«Ce n'est pas vrai que le congé paternel ou parental peut tout régler, observe-t-il. Ce n'est pas un truc magique.»

Le point de vue de Raymond Villeneuve est intéressant. Je décide donc d'aborder avec lui la fameuse question du partage des tâches et, surtout, de la «charge mentale» dont plusieurs femmes m'ont parlé et dont elles héritent la plupart du temps. Encore une fois, il me présente l'autre côté de la médaille.

«Les gars me disent: le partage des tâches, c'est ma blonde qui veut que je fasse exactement comme elle veut. Elle me dit: "On va faire 50-50 de ce que MOI je te dis de faire." Bref, c'est la fille qui décide. Or, quand on parle de tâches domestiques, tout est très subjectif. Qu'est-ce que la norme quand on parle de ménage, par exemple? Combien de fois faut-il passer l'aspirateur? Changer les draps? Épousseter? La norme est énoncée par la femme, et les gars se sentent souvent à l'étroit.»

Mon ami le journaliste Alexandre Vigneault, à qui je fais part des propos de Raymond Villeneuve, se reconnaît un peu dans le portrait que brosse l'intervenant. «J'ai toujours trouvé normal de partager les tâches, me dit-il. Et j'ai rencontré des gars qui veulent beaucoup, mais qui ne trouvent pas le soutien nécessaire.»

«Le partage, c'est bien lorsque c'est un partage, justement, pas quand c'est la mère qui impose la manière, poursuit Alexandre qui est le papa de deux fillettes. Je crois que, lorsqu'il y a une résistance de la mère, ça peut avoir un impact négatif sur l'implication du père. Je n'aurais jamais accepté de me faire dire par ma blonde qu'elle était plus compétente que moi. Mais c'est sûr que ça existe dans d'autres milieux.»

Alexandre me raconte qu'à la naissance de leurs enfants sa blonde lui disait et répétait qu'elle ne se sentait pas plus compétente que lui. Résultat : «On était deux et on réfléchissait à deux, affirme Alexandre, aujourd'hui séparé. Ça l'a rassurée et, moi, j'ai toujours estimé que mon opinion valait la sienne.»

Alexandre ajoute qu'il trouve intéressant le point de vue de Raymond Villeneuve à propos des politiques publiques. «Je n'ai pas le sentiment d'en souffrir, mais il est vrai que des symboles publics forts aideraient sans doute des femmes et des hommes à voir la parentalité comme un travail qui se fait à deux.» Comme bien des hommes, Alexandre reconnaît qu'il y a encore trop peu de modèles positifs de pères. «On doit inventer notre manière d'être père, insiste-t-il. Certains d'entre nous sont comme une deuxième mère. Ce n'est pas ce que je veux être. Je suis toujours mal à l'aise quand on sépare les tâches et qu'on les associe au genre, mais je pense quand même que mon rôle de père, ce n'est pas d'être une maman. Je câline, je console, je bécote, mais je les incite aussi à prendre des risques, à aller toutes seules au dépanneur, à avoir confiance en elles.» À propos du sujet explosif qu'est le partage des tâches, Alexandre me dit tout haut ce que bien des hommes pensent tout bas : «Quand il est question de partage des tâches, j'ai souvent le sentiment qu'on parle de ce qui se passe dans la maison et qu'on oublie ce qui se fait autour et à l'extérieur de la maison. La voiture, les rénovations, tous les petits trucs qui, eux, sont peut-être dans la tête des gars et pas dans celle des femmes. Ça revient moins souvent que l'épicerie, c'est clair... Au final, je crois que le père et la mère souffrent de ne pas sentir que leurs efforts sont vus, reconnus et valorisés.»

Le cas de Stéphane

Stéphane Dubé est au début de la quarantaine. C'est un père qui s'implique énormément. Il est en couple depuis 2009 avec sa conjointe, cadre comme lui. Quand je l'ai rencontré, il était directeur des opérations et des ressources humaines à l'Ordre des psychologues du Québec et traverserait LA période intense quand on est parent. Son fils, Tristan, avait 2 ans et 9 mois, et sa fille, Justine, était âgée de 5 mois.

Ma conversation avec Stéphane n'est pas très différente de celle que j'aurais pu avoir avec des femmes du même âge. Comme elles, Stéphane trouve difficile de tout concilier. Il court, il est épuisé. Et il n'est pas le seul. Selon un sondage Léger Marketing réalisé auprès de pères québécois pour le magazine *Naître et grandir*, 22 % des pères disaient manquer de temps.

Stéphane tient toutefois à me préciser que son contexte est particulier. La grossesse de sa conjointe n'a pas été facile, elle est très fatiguée, souffre d'allergies et doit se reposer beaucoup. À la maison, le couple essaie quand même de tout partager moitié-moitié. «Ma femme est avocate, alors je dirais que, pour elle, le résultat est important. Mais moi, comme gestionnaire, c'est le processus qui m'intéresse», observe-t-il avec humour. Sa conjointe a donc choisi les tâches qui l'intéressaient le plus et Stéphane s'est chargé du reste.

«Naturellement, j'ai pris la responsabilité des poubelles, du recyclage, de la vaisselle, du ménage...»

Depuis qu'il est père, Stéphane a dû quitter le travail plusieurs fois à cause des enfants. Il finit en outre assez tôt pour ne pas qu'ils passent trop de temps à la garderie (sa conjointe a lu mon dernier livre, écrit en collaboration avec le Dr Chicoine!). Bref, la vie du quadragénaire ressemble souvent à une course, et ses absences ne passent pas inaperçues au bureau. Il a d'ailleurs changé d'emploi depuis notre rencontre afin de faciliter la conciliation.

«Ma patronne m'a déjà dit: "Elles sont chanceuses, les filles d'aujourd'hui!" me raconte-t-il. À chaque enfant, j'ai pris cinq semaines de congé parental et je sais que quelques collègues ont grincé des dents. Il faut dire qu'à l'Ordre il n'y a pas eu de grossesse depuis environ 10 ans. Je sens que ça en agace certains, surtout les plus vieux. Chez les plus jeunes, il y a une grande ouverture d'esprit.»

Le cas de Stéphane n'est pas unique. Selon la chercheuse Jennifer L. Berdahl, qui enseigne en leadership, genre et diversité à la Sauder School of Business de l'Université de la Colombie-Britannique, les milieux de travail sont en général hostiles aux pères qui souhaitent s'occuper de leurs enfants. Ces derniers, comme les femmes, peuvent voir leur carrière stagner s'ils ne se conforment pas aux rôles traditionnels que la société attend d'eux.

Une anecdote récente qui s'est produite dans le monde du sport illustre bien les stéréotypes auxquels les nouveaux pères doivent faire face. Au printemps dernier, un joueur des Mets de New York, Daniel Murphy, a été fortement critiqué parce qu'il a osé prendre trois jours de congé de paternité, ce qui est permis par la Ligue majeure de baseball. Un animateur de radio a même été jusqu'à dire sur les ondes de son émission : « Franchement, j'aurais planifié une césarienne avant l'ouverture de la saison de baseball ! » (Il s'est excusé par la suite.) Un autre a déclaré : « Quand tu es un joueur de baseball professionnel, tu peux embaucher une infirmière. » On le voit, les clichés ont la vie dure, surtout dans le monde du sport.

Stéphane ne travaille pas dans un milieu macho comme celui du sport professionnel et affirme qu'il ne se sent pas du tout exceptionnel de s'impliquer comme il le fait. « Beaucoup d'amis sont comme moi, ils s'impliquent, ça fait partie de nos valeurs, m'assure-t-il. Mais il y a certainement un stress à essayer de tout concilier et de bien performer au travail. Souvent, je me sens frustré parce que je n'ai pas de temps pour moi. Au fur et à mesure, j'ai laissé tomber ce que je faisais pour moi afin de me concentrer sur les enfants et la maison. » Même s'il admet que certains collègues se demandent comment il fait pour tenir le coup, il souligne qu'en général les gens s'inquiètent davantage des femmes que des hommes quand on parle de conciliation travail-famille. « Quand t'es un homme, il faut que tu montres un signe de dysfonction important pour que les gens commencent à poser des questions, remarque-t-il. Je constate aussi que les magazines et les émissions de télé qui portent sur le sujet de la conciliation s'adressent davantage aux femmes. On s'adresse encore au stéréotype du père pourvoyeur, pas à celui qui s'implique. »

Trouver l'équilibre

Raymond Villeneuve, du Regroupement pour la valorisation de la paternité, a donné des cours prénataux pendant six ans. Il me raconte qu'il avait l'habitude de demander aux femmes :

"Voulez-vous que votre chum soit votre partenaire dans l'entreprise familiale ou votre sous-traitant?"

«Je me souviens que, dans un des cours, une femme m'a dit un jour: "Je veux que mon chum comprenne que j'ai raison..." Il y a eu cinq secondes de silence, puis tout le monde a éclaté de rire. Ce sont des mécanismes qui ne sont pas conscients, mais ils nuisent au véritable partage au sein du couple.»

Raymond Villeneuve confirme ce que j'affirmais plus tôt, à savoir que les femmes semblent plus sensibles aux messages sociaux de santé publique alors que les gars, eux, s'en fichent un peu.

«Ce que les gars comprennent, c'est qu'il faut que tu aimes ton enfant et que tu dois t'occuper des tâches ménagères, dit-il. Ce message-là, ils l'ont compris. Le reste – manger des légumes, etc. –, il est transféré au gars par la femme qui est sensible à la pression sociale, à ce qui se dit dans les médias, etc. Je le répète: derrière le partage des tâches, il y a un partage des pouvoirs, et je ne crois pas que toutes les femmes sont prêtes à le céder.»

Personnellement, je me suis souvent demandé pourquoi les femmes se sentaient tellement investies de la Vérité avec un grand V quand vient le temps de parler de l'espace domestique et familial. Est-ce parce que les filles gardent des enfants à l'adolescence? Est-ce leurs parents qui, inconsciemment, les responsabilisent et les préparent à jouer ce rôle? Ou est-ce parce que la plupart des messages en provenance du corps médical, de la santé publique et des médias leur sont presque toujours spécifiquement adressés? Je vais être très franche, je me dispute souvent avec mon mari sur cette question. J'ai moi-même tendance à adopter l'attitude de la fille qui sait comment faire les choses, alors que lui me reproche d'adopter la posture de la fille qui sait tout, qui sait comment les choses doivent être faites. (Alors que, en réalité, je n'ai aucun intérêt ni connaissance particulière à propos du ménage...)

Il a sans doute « un peu » raison... C'est un conditionnement dont il est très difficile de se défaire. Je lui reproche pour ma part de ne pas prendre d'initiatives en ce qui concerne l'espace domestique, d'attendre, en quelque sorte, de recevoir la liste des choses à faire. Une liste qui n'occupe jamais d'espace mental en ce qui le concerne. De l'extérieur, je trouve cette position tellement plus facile. On n'a pas à y penser ou à décider de quoi que ce soit, on exécute. Serais-je capable d'échanger les rôles, de lâcher prise et de le laisser décider de tout ou presque ? Dans mes rêves les plus fous, il me semble que oui...

Un papa artiste

Mathieu Harel est musicien à l'OSM. Il a 40 ans et est en couple avec sa conjointe, elle aussi musicienne, depuis 12 ans. Sa femme est pigiste, il a sa permanence à l'OSM où il joue du basson en plus d'enseigner au Conservatoire de musique de Montréal. Comment deux musiciens concilient-ils la vie de spectacle et de tournée ? Ma foi, à écouter Mathieu parler, ça demande beaucoup d'organisation... et de souplesse. D'autant plus que le couple a choisi de s'installer à Saint-Crysostome, à 40 minutes (sans compter le trafic) de Montréal.

« Bien franchement, on fonctionne sur deux horaires, m'avoue Mathieu. Il y a des jours où on se croise à peine, ma blonde et moi. On essaie le plus possible de planifier la semaine pour qu'il y ait toujours un des deux parents auprès de notre fils, mais ce n'est pas toujours possible. Des fois, je fais appel à mes étudiants du Conservatoire ou aux enfants de mes collègues de l'OSM pour le garder.»

Mathieu vient d'une famille très unie. Sa mère a quitté son emploi d'enseignante durant 10 ans pour être auprès de ses enfants. Lui-même aurait aimé en avoir plusieurs, mais il voit bien que, avec cette vie de tournée et de spectacles, ce n'est pas possible.

«Je me serais très bien vu papa à la maison si on en avait eu les moyens, dit-il. J'adore être avec les enfants.»

Mathieu donne environ 100 concerts par année (c'est sans compter les répétitions de l'orchestre) et enseigne une demi-journée par semaine. Comme le service de garde de l'école de leur fils ferme à 17 h 30, le couple fait souvent appel à des amis ou à des voisins pour aller le chercher.

Quand son fils est né, Mathieu a pris 25 semaines de congé parental. «J'étais le premier homme à me prévaloir du congé parental à l'OSM», m'affirme-t-il fièrement. Quand je l'ai rencontré pour notre entrevue, un peu avant l'été, il avait réussi à se ménager deux mois et demi de vacances.

«Mes collègues ont des conjointes avec des horaires réguliers, ils n'ont pas du tout les mêmes préoccupations que moi, me dit-il. Mon horaire à moi, c'est un véritable casse-tête.»

Par contre, le fait de jouer au sein de l'OSM lui permet de planifier longtemps à l'avance, chose impossible pour sa conjointe qui a des horaires imprévisibles et irréguliers. «On n'a pas pris de vacances ensemble depuis 1998, me dit-il. Pourtant, il n'y a pas de frictions. Je m'occupe du matin, elle s'occupe du soir. Elle s'occupe des rendez-vous médicaux, je m'occupe de trouver des gardiennes. Pour l'école, on partage ça moitié-moitié.»

Leur arrangement, s'il n'est pas parfait, semble tout de même fonctionner. Mais Mathieu n'est pas totalement satisfait. «J'aurais voulu passer encore plus de temps avec mon enfant, dit-il. Quand mon fils était petit, j'appréciais mon horaire atypique, car je pouvais passer beaucoup de temps avec lui, mais, avec l'école, c'est plus compliqué. Je me sens coupable, j'ai l'impression de ne pas bien m'occuper de ma famille. J'essaie de voir les côtés positifs, mais j'ai juste l'impression de courir.»

Des couples à bout de souffle

«Pour enlever un peu de pression à tout le monde, il faudrait se dire: "On traverse une période de transition, on ne peut pas réussir tout, tout de suite, alors il faut lâcher prise", suggère Raymond Villeneuve. Donnons-nous le temps de construire cette nouvelle dynamique familiale de façon saine.

«Je vois beaucoup de jeunes papas et de jeunes mamans qui sont les meilleurs parents du monde, mais qui s'obstinent tout le temps, poursuit-il. Au Québec, dans les couples, on ne reconnaît pas ce que l'autre fait de bien, et cette absence de reconnaissance, au quotidien, ça tue.»

Serait-on rendus au point où les hommes se demandent, eux aussi, s'ils peuvent tout avoir? «Ils ne se posent pas la question comme ça, croit Raymond Villeneuve. À leurs yeux, le travail est très identitaire. Au cœur de cela, il y a la notion de pourvoyeur. C'est central pour eux. En même temps, ils veulent jouer un rôle important comme père, et je remarque que la paternité aussi devient identitaire. Ils diront: "Moi, je suis un père." C'est important, comme changement. Et c'est un levier formidable pour travailler leur implication. Le problème, c'est qu'on ne s'y prend pas de la bonne façon avec les hommes. Au lieu de partir du besoin des femmes qui souhaitent "faire faire" des choses, il faudrait partir du fait que l'homme aime sa blonde et aime son enfant, donc qu'il veut s'impliquer. »

Est-ce qu'on va finir par y arriver? J'ai bon espoir. Mais il faudra plus que de la bonne volonté et des pères qui mettent la main à la pâte. Il faudrait aussi une prise de parole publique de la part des pères. Il faudrait les entendre, eux aussi, dire haut et fort que l'équilibre entre la vie professionnelle et la vie familiale a une valeur à leurs yeux. Un peu comme Barack Obama et Joe Biden qui ont organisé durant trois ans un sommet sur les parents qui travaillent. Le symbole était fort. Deux hommes qui avant toute chose affichaient leur implication et en tiraient une fierté. «J'ai changé des couches, j'ai donné le biberon, disait Obama lors d'une de ces rencontres à Washington. Et mon implication lorsque mes filles étaient bébés a fait une différence. »

Quand les hommes porteront ce discours que les femmes portent depuis plusieurs décennies, quand ils seront aussi fatigants que nous à revendiquer des horaires de travail plus flexibles, des milieux de travail plus accueillants pour les familles, quand, pour reprendre les paroles de Raymond Villeneuve, ils ne seront plus «acteurs» ou «observateurs», mais bien «sujets», on pourra réellement espérer que les choses changent et que la vraie égalité se réalise.

Les hommes peuvent avoir un réel impact. Leur désir de jouer leur rôle de père peut avoir une influence sur l'évolution du monde du travail. Car là aussi, dans les entreprises, les usines, les hôpitaux et les bureaux d'avocats, il faudrait que se produisent des changements importants.

Encore faut-il faire accepter au monde du travail qu'avoir des enfants n'est pas une tare et qu'un homme peut aussi être un père qui s'implique.

CHAPITRE 7

Le monde du travail

Quand quelqu'un dit : « Je veux l'amour et le travail, et je vais diviser mon temps entre les deux », ce n'est pas se retirer. C'est vivre le genre de vie qu'on veut vivre.

Joan Williams, directrice fondatrice
du centre WorkLife Law, University of California, 2014

Je suis issue d'une famille on ne peut plus traditionnelle. Mon père a travaillé comme ingénieur, ma mère est restée à la maison pour s'occuper de mon frère, ma sœur et moi.

Comme enfant, je n'ai jamais eu à vivre les contrecoups de la conciliation travail-famille. Ma mère était toujours là pour nous. Elle s'acquittait de toutes les tâches ménagères, nous accompagnait chez le médecin, nous aidait à faire nos devoirs.

Elle était là quand je partais à l'école et elle était encore là lorsque je revenais l'après-midi.

Autour de moi, j'avais des amies dont la mère travaillait, mais j'avais surtout des amies dont la mère, comme la mienne, restait à la maison.

En 1976, près de la moitié des femmes (47 %) mariées ou vivant en union libre, âgées de 20 à 64 ans, étaient actives sur le marché du travail. Mais cette proportion tombait à 31,7 % lorsque les femmes avaient un enfant de moins de 3 ans. Ma situation n'était donc pas exceptionnelle. La majorité des mères québécoises ne travaillaient pas dans ces années-là. Par contre, bien des enfants dont les deux parents travaillaient ont vu leur mère s'épuiser à essayer de tout faire, car, à cette époque, rares étaient les hommes qui levaient le petit doigt dans la maison.

Les femmes de la génération X, dont je suis, ont poursuivi sur la lancée de ces pionnières. Pas question pour nous de ne pas travailler. Je me souviens d'une seule amie qui nous avait avoué, alors que nous étions dans la vingtaine, qu'elle se verrait bien à la maison faire son pain et élever ses enfants. Je le confesse, nous l'avions regardée avec un petit air d'incrédulité et, je n'en suis pas fière, de dédain. Voyons donc, ne pas travailler ! C'était inimaginable.

Aujourd'hui, que fait cette amie ? Elle travaille, comme plus des trois quarts des Québécoises.

En effet, les femmes ont envahi pas mal toutes les sphères de la société québécoise. Et pas seulement sur le marché du travail, à l'école aussi.

Elles sont même plus nombreuses que les garçons dans les facultés de droit et de médecine, deux bastions de la masculinité depuis des décennies. Dans les entreprises, les jeunes femmes âgées de moins de 34 ans occupent désormais 46,5 % des postes de gestion. C'est presque la moitié.

Elles sont également très bien représentées dans une multitude de professions : elles constituent le tiers des agronomes, des chimistes, des comptables, des dentistes et des médecins au

Québec. Elles seront bientôt autant d'avocates que d'avocats et sont déjà plus de la moitié des notaires et des vétérinaires.

Quel progrès !

Un progrès rendu possible entre autres grâce au régime de services de garde à l'enfance offerts à un prix accessible à presque toutes les bourses. Adopté en 1997, alors que Pauline Marois était ministre de l'Éducation, ce service de garderies offrait des places à 5 $. Entre le moment de sa création et l'année 2005, le nombre de places a littéralement explosé, passant de 55 000 à 200 000. Le tarif, lui, est passé de 5 $ à 7 $ en 2004, et il devrait bientôt grimper à 9 $. Mais quand on le compare aux garderies privées au coût exorbitant du reste du pays, notre système demeure très avantageux. Bien sûr, le régime n'est pas parfait. Par exemple, il n'est pas offert 24 heures sur 24 aux familles dont un ou 2 parents travaillent selon des horaires atypiques. Quant à sa qualité, des études ont montré qu'elle n'était pas maximale. Mais il demeure un levier incroyable pour l'égalité homme-femme, un levier qui nous différencie de ce qui se fait aux États-Unis et dans le reste du Canada, où la garde des enfants est un véritable casse-tête, un luxe que peu de familles peuvent se permettre.

Les autres Canadiennes ainsi que les Américaines nous envient ce service de garde universel. Avec raison. Cela dit, elles idéalisent peut-être un peu trop ses résultats. En effet, elles semblent convaincues que, si elles avaient droit au même service de garde, elles régleraient les problèmes de conciliation travail-famille une fois pour toutes. Là-dessus, elles se trompent.

Nos garderies, malgré leur coût accessible, n'ont pas tout réglé. La question de la conciliation travail-famille est encore d'actualité. C'est une question qui est au cœur du principe d'égalité homme-femme. Et tant qu'on ne l'aura pas résolue, les femmes continueront à être désavantagées.

Où sont les femmes?

Les femmes ont fait des pas de géant sur le marché du travail, mais plus on grimpe dans les échelons professionnels, et moins elles sont présentes. À l'heure actuelle, les femmes sont toujours sous-représentées au sommet de la hiérarchie des entreprises ainsi que dans les conseils d'administration. Les chiffres les plus récents nous indiquent que les femmes incarnent seulement 3 % du top 100 des PDG d'entreprises canadiennes et 17,1 % des directrices de sociétés du FP 500 (un palmarès des 500 plus grosses entreprises canadiennes présenté par le journal *Financial Post*). En 2014, les femmes occupaient seulement 20,8 % des sièges aux conseils d'administration des entreprises inscrites à l'indice boursier canadien. L'objectif du ministère canadien de la Condition féminine est d'atteindre une proportion de 20 % d'ici 2019. On le répète, il reste beaucoup de chemin à faire.

Et puis on va se dire les vraies affaires, encore aujourd'hui, quand on nomme une femme à la tête d'une multinationale, c'est souvent parce que l'entreprise éprouve des difficultés. Regardez chez nos voisins du sud. Que ce soit Marissa Mayer chez Yahoo!, Mary Barra chez GM, Meg Whitman chez Hewlett-Packard ou Irene Rosenfeld chez Mondelez (anciennement Kraft), dans tous les cas, on a nommé ces femmes à la tête d'entreprises qui en arrachaient et on leur a demandé d'accomplir un miracle. On dit souvent que les femmes occupent des postes de direction lorsque les hommes n'en veulent plus. Or, cette affirmation n'est pas une boutade : elle a été démontrée par deux chercheuses, Alison Cook et Christy Glass, qui ont analysé le mouvement de personnel à la haute direction au sein de 500 entreprises, de 1996 à 2010. Elles ont constaté que, lorsqu'une entreprise affichait une performance à la baisse, elle avait tendance à nommer à sa tête une femme ou une personne issue d'une minorité visible. Les chercheurs appellent ça « l'effet du sauveur ».

On se réjouit que les femmes puissent avoir la chance de montrer de quoi elles sont capables, peu importe les circonstances, mais on se réjouirait encore plus si elles avaient accès aux mêmes promotions que les hommes. Elles pourraient faire éclater ce maudit plafond de verre qui ressemble parfois à un couvercle de béton tellement il est infranchissable. Car il faut regarder la réalité en face : malgré de belles avancées, on est encore loin de la parité.

Des valeurs féminines

Dans *Baby Boom*, un film sorti en 1987 et inspiré d'une histoire vraie, l'actrice Diane Keaton interprète le rôle d'une femme d'affaires qui se voit confier la responsabilité d'un bébé à la mort d'un de ses cousins. Le film repose sur de nombreux clichés : la femme professionnelle qui a tout misé sur sa carrière au détriment de la famille ; l'arrivée d'un enfant qui révèle à quel point cette femme est dépourvue de qualités « féminines » et maternelles ; la révélation qu'elle a failli passer à côté de quelque chose d'important ; que sa vie n'est pas réussie sans enfant, etc. Peu à peu, le personnage, une vraie *yuppie* des années 1980, finit par s'attacher à la petite fille qui lui a été confiée. Elle quitte son emploi prestigieux et s'installe au Vermont où elle concocte des purées pour bébés et refait fortune à sa manière, selon de nouvelles valeurs plus conformes à l'image qu'on a d'une femme.

La conclusion peut être interprétée de deux façons. Il y a la conclusion négative : le personnage a dû abandonner et réorienter sa carrière, la famille et le travail étant incompatibles. Une vraie femme fait passer son enfant d'abord. Mais il y a une autre interprétation de la fin du film, plus positive : cette femme a connu un immense succès professionnel en faisant les choses à sa manière, de façon plus équilibrée, en redéfinissant sa notion du travail, une définition qui inclut la dimension humaine et personnelle. On peut donc voir ce film de deux manières : c'est un film rétrograde qui est contre l'avancement des femmes ou c'est un film avant-gardiste qui voyait bien avant son temps les défis qui allaient se poser aux femmes. Connaissant la scénariste du film, Nancy Meyers, une des rares femmes à avoir su s'imposer à Hollywood, je choisis la seconde option. Le message à mon avis était le suivant : « Oui, vous pouvez avoir une carrière enrichissante et une vie de famille satisfaisante. N'ayez pas peur de foncer et de faire les choses comme vous le voulez. »

La notion d'abandon

Près de 30 ans se sont écoulés entre la sortie de *Baby Boom* et la parution de *Lean In*, dans lequel Sheryl Sandberg invite les femmes à ne pas se retirer du marché du travail avant d'avoir véritablement foncé. Elle les implore de ne pas abandonner la course. Je me suis dit : *Elle exagère quand même un peu, les femmes sont plus nombreuses que jamais sur le marché du travail. À quoi fait-elle allusion ?*

Mais en fouillant un peu et en parlant avec des spécialistes du monde du travail, j'ai compris ce qui inquiétait Sheryl Sandberg. C'est la même chose qui inquiète plusieurs femmes qui ont atteint le haut de la pyramide et qui constatent que les suivantes ne sont pas aussi nombreuses qu'elles l'auraient espéré.

Pourquoi? Que s'est-il passé pour que suffisamment de femmes de la nouvelle génération choisissent de ralentir, de se retirer ou de faire autre chose plutôt que de suivre les traces de leurs aînées et de viser le sommet?

Ce phénomène n'est pas propre aux milieux hyper privilégiés et aux universités de l'Ivy League américaines. Il s'observe aussi chez nous. Au Canada, ce sont plus de 80 000 femmes qui ont quitté le marché du travail en 2014. Résultat : nous sommes devant la plus faible proportion de femmes qui travaillent depuis 2002. Et cette diminution ne s'explique pas seulement par le vieillissement de la population puisque les baisses les plus importantes se situent dans la tranche des 40 à 54 ans. Selon une analyse du Syndicat canadien de la fonction publique, ce sont les femmes ayant le plus bas taux de scolarité qui sont les plus nombreuses à quitter le marché du travail. Parmi les facteurs qui expliquent cette décision : l'inégalité salariale entre hommes et femmes, le coût des services de garde et de soins aux aînés, le stress. Bref, des facteurs qui sont intimement liés à la conciliation travail-famille.

La professeure de management à l'Université Laval, Hélène Lee-Gosselin, me confiait que c'était un sujet de discussion très fréquent chez ses étudiantes : à quel moment arrêter, vers quel

âge avoir des enfants? Elles y pensaient avant même d'avoir
terminé leurs études.

C'est aussi ce qu'a observé Marie-Josée Gagnon, présidente
de Casacom. Elle me raconte: «Une jeune femme est venue me
voir l'autre jour dans une conférence professionnelle. Elle me
posait plein de questions à propos de la conciliation travail-
famille, elle me parlait de ses projets, du moment où elle aurait
ses enfants. Or, elle n'avait même pas de chum et elle pensait
déjà à ces problèmes-là.»

Est-ce parce qu'on leur envoie le message que c'est impossible de réussir les deux? N'est-ce pas ce que les médias nous
répètent sans cesse? Encore récemment, le magazine *ELLE
Québec* faisait sa une avec Julie Snyder. Le titre de l'entrevue:
Les nouvelles superwomen. Le titre m'a fait tiquer. J'avais hâte
de savoir ce qui les différenciait des «anciennes» *superwomen*.
C'est simple: les anciennes nous affirmaient qu'elles pouvaient
tout faire et tout avoir sans problème. Les nouvelles, plus réa-
listes, nous disent que ce n'est pas possible. Si on s'investit
davantage dans le travail, c'est la famille qui va écoper. Et si
on s'investit dans la famille, eh bien, on va négliger le travail.
Mais on essaie quand même de faire les deux. Et le conjoint
n'est toujours pas dans le portrait, du moins pas dans l'entrevue avec Julie Snyder (cet article est paru avant sa séparation
d'avec son conjoint Pierre Karl Péladeau). Le message est clair:
c'est encore sur les épaules des femmes que repose ce formidable défi.

Un message qu'on renforce encore et encore. Quelle question a-t-on posée à Dominique Anglade lorsqu'elle a annoncé

qu'elle se lançait en politique avec le parti libéral ? « Comment ferez-vous avec trois enfants ? »

Peut-être que le magazine *New Statesman* a la solution. Peut-être faut-il renoncer aux enfants pour accéder au pouvoir. À la une de son numéro de septembre 2015, on montrait quatre femmes : la première ministre de l'Écosse Nicola Sturgeon, la chef du parti travailliste en Grande-Bretagne Liz Kendall, la chancelière allemande Angela Merkel et la secrétaire de l'Intérieur britannique, Theresa May. Quatre femmes qui n'ont pas eu d'enfant. L'image était forte, sans doute maladroite, et elle en a dérangé plusieurs. Mais l'article qui accompagnait cette illustration rappelait que, encore en 2016, les femmes en politique ont moins d'enfants que leurs collègues masculins. Et la politique n'est pas le seul milieu où ce phénomène s'observe. Une étude réalisée auprès des dirigeants américains dans plusieurs secteurs de la société (entreprises, universités, milieux scientifiques, etc.) montre que 84 % des hommes sont mariés et ont des enfants, alors que, chez les femmes, cette proportion chute à 49 %.

Comment ne pas conclure que, lorsqu'on est une femme, une carrière se conjugue difficilement avec la maternité ?

Partir pour mieux revenir

Une récente étude de la Harvard Business School affirme que 37 % des femmes diplômées issues de la génération Y pensent à ralentir leur rythme de travail lorsqu'elles auront des enfants. Les jeunes femmes disent accorder une grande importance à l'équilibre entre la vie de famille et la vie professionnelle, et assurent qu'elles reprendront un rythme de travail plus élevé lorsque leurs enfants seront plus vieux et qu'ils fréquenteront l'école.

Ce chiffre ne m'inquiéterait pas trop – après tout, je suis absolument en faveur de l'équilibre – s'il était le même chez les hommes. Or, au sein de cette même génération Y, seulement 13 % des jeunes hommes songent à faire des sacrifices professionnels pour consacrer plus de temps à la famille. Est-ce parce que les hommes, contrairement aux femmes, ne se projettent pas dans l'avenir? Est-ce qu'une fois devant la réalité ils prendront des décisions qui favoriseront l'équilibre? Je le souhaite. Mais pour l'instant, ce déséquilibre m'inquiète. Je crains qu'à long terme les hommes continuent à grimper les échelons et à occuper des postes de responsabilité pendant que les femmes, elles, ralentiront pour être auprès de leur enfant. Avec comme résultat une perte d'expérience qui ne pourra que leur nuire.

Un autre sondage tend à confirmer mes craintes. En 2015, le site britannique Workingmums a sondé 2 300 mères sur le marché du travail. La moitié (49 %) estimait que leur employeur faisait preuve de discrimination à leur endroit, et près des deux tiers disaient ne pas avoir retrouvé leur emploi au retour d'un congé de maternité. La majorité des mères estimaient en outre que la flexibilité était LE facteur le plus important à leurs yeux en ce qui concernait leurs conditions de travail. Environ 20 % disaient que, devant un manque de flexibilité de la part de leur employeur, elles préféraient quitter leur emploi.

Bien entendu, quand on parle de ces femmes qui songent à ralentir ou à mettre leur carrière en veilleuse, on parle davantage de femmes éduquées occupant un emploi professionnel plutôt bien rémunéré. On ne parle pas d'emplois précaires ou peu rémunérés souvent occupés par des femmes qui n'ont d'autre choix que de les accepter si elles veulent pouvoir faire vivre leur famille.

Mais je ne suis pas d'accord avec ceux qui affirment que la discussion autour de la conciliation travail-famille ne concerne pas les femmes au bas de l'échelle salariale et sociale. La question de la conciliation nous touche toutes. Et si les plus aisées d'entre nous ont le loisir de réfléchir à cette question, c'est entre autres dans le but de faire bénéficier de nos solutions toutes les femmes, pas seulement celles des milieux favorisés.

Ce sont les femmes qui occupent les postes de pouvoir et de décision qui tracent la voie aux autres, qui ouvrent la porte et font évoluer les conditions de travail. L'objectif, c'est que toutes les femmes en bénéficient.

Or, pour l'instant, dans les milieux de travail professionnels (pensons au droit, à la finance et au monde des affaires en général) ainsi que dans certains métiers (pensons au domaine de la construction par exemple), on est loin de pouvoir dire que la conciliation travail-famille est possible. Honnêtement, dans certains milieux, on se croirait encore à l'époque de *Mad Men*.

Prenons le domaine du droit. Les femmes représentent aujourd'hui 50 % des membres du Barreau du Québec, mais que 30 % des avocats en pratique privée. De plus, elles constituent moins de 20 % des associés des grands cabinets, qui sont des postes de direction.

Comment expliquer cette faible représentation des femmes alors que les filles comptent pour plus de la moitié des étudiants dans les facultés de droit ? Sans surprise, ce sont les congés de maternité et la difficile conciliation travail-famille qui expliquent que les femmes quittent la pratique en cabinet. «Le fait de prendre des congés parentaux a beaucoup plus d'impact sur la carrière des femmes que sur celle des hommes, observait Mᵉ Fanie Pelletier dans *Les Carrières du droit*, une publication de Jobboom. Les pères avocats n'en prennent à peu près pas, ou alors pas longtemps.»

En fait, actuellement, l'avocat qui travaille de longues heures et facture beaucoup est celui qui est le plus valorisé. Et le parcours rêvé d'un avocat demeure celui qui, après avoir passé une dizaine d'années comme avocat avec un salaire fixe, devient associé et doit facturer, facturer, facturer, ce qui signifie qu'il doit pratiquement être disponible 24 heures sur 24 pour ses clients.

Or, c'est environ à l'âge où elles pourraient devenir associées que les femmes ont des enfants. Pas besoin d'un dessin : on le sait, les heures de fous et les semaines de 90 heures sont assez incompatibles avec l'arrivée d'un bébé.

Un problème un peu différent s'observe chez les médecins, une profession où la féminisation a eu un énorme impact au cours des dernières années. En mai 2015, le gouvernement québécois et les omnipraticiens se sont finalement entendus sur le projet de loi 20 qui promettait à la population une meilleure accessibilité aux médecins de famille.

Ce projet de loi, il faut le rappeler, a fait fortement réagir les omnipraticiennes. Ces dernières affirmaient qu'elles verraient leur rémunération diminuer alors qu'elles gagnaient déjà 20 % de moins que leurs collègues masculins. Une des causes de leur colère : le nombre d'heures exigées qui impliquaient entre autres des horaires désavantageux pour des mères de famille, car elles risquaient de devoir travailler le soir, la nuit et la fin de semaine. Cette divergence entre les femmes médecins et le ministre de la Santé soulevait à mon avis des questions fort intéressantes. Peut-on forcer les médecins à travailler plus d'heures par semaine, leur refusant ainsi une certaine qualité de vie qui est envisageable dans d'autres corps professionnels ? Les médecins québécois ont-ils une dette envers la société parce qu'ils ont bénéficié des deniers publics pour faire des études qui leur assurent aujourd'hui un salaire enviable et une belle qualité de vie ? Peut-on être une femme et envisager la pratique de la médecine avec la flexibilité nécessaire pour être présente auprès des enfants ? Et comment se fait-il que ces revendications soient encore portées exclusivement par des femmes ?

Ce débat a divisé les médecins en deux camps : d'un côté les anciens qui ont tout donné à la médecine et qui défendent une éthique de travail rigoureuse, et de l'autre des jeunes qui aspirent à une meilleure qualité de vie et à une plus grande conciliation de leur vie professionnelle et familiale. Le débat public a également soulevé une autre question. Le milieu de la médecine repose-t-il sur une vision qui nous vient de l'époque où les médecins, en majorité des hommes, ne comptaient pas leurs heures et dormaient sur un lit de camp à l'hôpital pendant que leur femme faisait tout à la maison ? Et combien de temps encore pourra-t-on défendre cette vision de la pratique quand on sait que la majorité des médecins seront bientôt des femmes ? Bref, pourquoi ne pas envisager un milieu médical qui laisse plus de place à la conciliation travail-famille et qui bénéficierait autant aux hommes qu'aux femmes ?

Jusqu'ici, on a évité de répondre à cette question qui ne touche pas seulement les médecins. Les infirmières, les professionnels et non-professionnels du monde de la santé et des soins sont aussi touchés par le problème de la conciliation travail-famille. Et si les médecins ont les moyens de se payer une aide familiale ou ménagère, c'est loin d'être le cas de tout le monde.

Prenons le cas des préposés qui donnent des soins à domicile aux aînés. Dans une étude réalisée par Diane-Gabrielle Tremblay et Ilda Ilse Ilama auprès de 33 employés du secteur de l'aide à domicile dans le domaine de l'économie sociale au Québec, on note que les conditions de travail sont difficiles et qu'il existe très peu de mesures de conciliation emploi-famille. « De ce fait, la conciliation emploi-famille et vie personnelle renvoie à une organisation personnelle, en raison notamment de cette faiblesse du soutien organisationnel, soulignent les auteures. Du coup, les hommes ayant moins de responsabilités et de tâches familiales arrivent plus facilement à concilier emploi et famille. [...] Les femmes qui sont plus âgées mettent par ailleurs en avant le fait que les enfants ont grandi et qu'elles ont enfin (!) plus de temps pour elles, se retrouvant alors dans une situation apparentée à celle des hommes, sans responsabilités familiales, ou relativement peu. [...] Les inégalités de salaires accentuent les difficultés de conciliation. »

Cette difficile conciliation se vit dans presque tous les milieux. Dans les universités, par exemple, les chercheuses qui ont des enfants ont moins de temps à consacrer aux activités de recherche et passent plus souvent leur tour que les hommes lorsqu'elles sont invitées à aller enseigner ou prononcer des conférences scientifiques à l'étranger. La conséquence est que les femmes sont donc moins présentes au sein des directions de facultés et des rectorats, car le système de promotion favorise davantage les hommes.

Dans mon milieu, celui des médias, une tendance semblable s'observe. Nombreuses sont les femmes qui mettent beaucoup d'énergie dans leur carrière, puis empruntent la voie des sujets dits *soft* en journalisme pendant que leurs enfants sont jeunes. Cela leur permet de mieux contrôler leur horaire. Les rares postes de correspondants à l'étranger appelés à parcourir la planète à quelques heures d'avis sont souvent occupés par des hommes, des femmes sans enfant ou dont les enfants sont adultes. Et rares sont les femmes qui sollicitent des postes de direction lorsqu'elles ont de jeunes enfants. C'est beaucoup trop prenant. De la même façon, les salles de presse sont majoritairement dirigées par des hommes et, quand ils ont des enfants, leurs conjointes disposent habituellement d'un horaire plus flexible pour assumer les tâches familiales à la maison.

Au tour de l'entreprise

Au Québec, notre situation demeure enviable. Avec notre congé parental et notre système de service de garde, disons que les jeunes parents peuvent envisager de travailler et d'avoir des enfants sans s'arracher les cheveux sur la tête comme nos voisins du sud ou du reste du Canada.

Mais il reste du chemin à faire et je considère que l'État a fait son bout. La balle est aujourd'hui dans le camp des entreprises. Ce sont à elles de faire l'effort supplémentaire afin de s'assurer que les travailleurs envisagent une vie équilibrée où le travail et la famille peuvent cohabiter harmonieusement.

Or, chaque fois qu'on parle de conciliation travail-famille en entreprise, il y a quelqu'un pour nous dire : «Oui, mais c'est compliqué, ça coûte cher, c'est impensable pour les petites entreprises...» Au fond, toutes les entreprises savent que tôt ou tard elles devront faire face à la musique et régler la question, mais elles semblent retarder ce moment le plus longtemps possible.

Dans un sondage réalisé par le site Working Mother et commandité par la firme Ernst & Young, on note que 8 dirigeants sur 10 reconnaissent que leurs employés devraient avoir accès à des mesures de flexibilité au travail. Dans le même souffle, le tiers des répondants admettent qu'ils souhaiteraient ne pas avoir à régler cette question difficile. «Les entreprises rechignent et résistent, me confirme la professeure en management Hélène Lee-Gosselin. Elles ont encore l'impression qu'elles seront perdantes, que ce ne sera pas gérable, que tout le monde va le demander.»

En d'autres mots, on met la tête dans le sable, on remet à plus tard, dans la cour des prochaines générations, cette question qui est au cœur du bien-être des travailleurs.

C'est ce que me confirme la chasseuse de têtes Louise Descarie, PDG de la firme de recrutement de cadres La Tête Chercheuse. «Je crois que tout le monde essaie de retarder ce moment le plus possible, de peur que s'il le donne à un, il doit le donner à l'autre, m'explique-t-elle. Oui, c'est vrai qu'en tant que patron, quand tu donnes une journée ici et là durant l'année, t'as l'air cool. Mais si c'est une façon de faire, une condition de travail, là, c'est autre chose.»

Quand je lui demande si, en général, les employeurs sont plus ouverts qu'avant lorsqu'il est question de conciliation travail-famille, sa réponse est catégorique : non.

En fait, le portrait que me brosse cette femme spécialisée dans le recrutement de gestionnaires et qui roule sa bosse depuis plusieurs décennies est assez déprimant.

« Ça arrive que les employeurs me disent : "Je ne veux pas de filles", m'avoue-t-elle. Ils me disent : "Elle n'ira pas brailler dans les toilettes. On va pouvoir faire des réunions de gars ensemble…" »

Et, bien sûr, la question de la conciliation vient tout de suite après, poursuit Louise Descarie. « Certains vont me dire : "J'aime bien cette candidate, et je comprends qu'elle va vouloir un bébé, mais est-ce que ça peut être dans un an ?" Ils me disent ça de manière informelle, mais ils savent bien que, de 30 à 36 ans, la probabilité qu'une femme veuille des enfants est de 90 %. Ils ne diront rien, mais ils vont embaucher un homme… »

Devant mon expression médusée, Louise Descarie continue : « Les clients – hommes – me disent des choses du genre : "T'es dans le taxi en voyage d'affaires, t'as 40 minutes libres, la femme va prendre son téléphone et appeler à la maison pour parler aux enfants et avoir de leurs nouvelles (*sur un ton un peu moqueur*)." Ils n'ont rien contre ça, mais ça ne fait pas partie de leurs préoccupations. » Oui, j'ai bien fait cette entrevue en 2014, pas en 1960…

Pour que les choses changent, elles doivent venir du sommet, des dirigeants d'une entreprise.

Dans un document sur la conciliation travail-famille publié par l'Institute for Women's Policy Research, on peut lire que « le progrès à propos des changements dans les milieux de travail demeure inégal. Alors qu'il y a eu une croissance dans le nombre d'entreprises qui offrent des solutions de rechange, leur accessibilité demeure aléatoire. Par exemple, moins de la moitié des employés à temps plein et seulement un tiers des employés se situant dans des emplois moyennement ou très bien rémunérés estiment qu'ils pourraient travailler à temps partiel en conservant leur poste. »

Toujours dans cette étude, on apprend que moins de 3 employés sur 10 répondent qu'ils ont la possibilité de changer l'heure à laquelle ils commencent à travailler. Et que seule une minorité d'employés croient qu'ils pourraient bénéficier de temps flexible sans menacer leur emploi ou leur carrière.

C'est, dit-on, ce qui expliquerait que les femmes quittent leur emploi après avoir eu un enfant. « Quand les milieux de travail ne répondent pas aux attentes et aux besoins de ses employés, les risques sont grands que ces employés ne travaillent pas à leur plein potentiel, ou encore qu'ils quittent carrément leur emploi », précisent les auteurs de l'étude. Pour les entreprises, ce sont des pertes qui ont été documentées. En fin de compte, ce sont des coûts – pertes de capital humain, pertes de savoir et de compétences – pour l'ensemble de l'économie d'un pays.

Il y a un autre point : lorsque des entreprises proposent des mesures profamilles, certains employés hésitent à les utiliser. Les femmes ne veulent pas être montrées du doigt comme recevant un traitement de faveur, et les hommes, eux, ont peur d'être ostracisés. Pour que les employés puissent vraiment bénéficier de ces mesures, il faut absolument qu'elles soient inscrites dans l'ADN de l'entreprise, qu'elles reflètent les valeurs de la compagnie.

Mais pour que les choses changent réellement, l'impulsion doit venir du sommet. En entrevue au journal *Les Affaires*, la directrice régionale, Québec et provinces de l'Atlantique, chez Catalyst Canada, Coleen MacKinnon, reconnaît que les préjugés existent encore en entreprise. Selon elle, ce n'est pas une question de mauvaise volonté. «Il s'agit surtout de préjugés inconscients qui sont basés sur le conditionnement social (le modèle de la famille traditionnelle) et des mythes répandus. Mais dès que le PDG comprend les barrières et l'importance de l'enjeu, des initiatives se mettent en place.»

Des propos confirmés par le grand patron de la firme Ernst & Young, Mark Weinberger. «Vous pouvez avoir toutes les mesures que vous voulez, a-t-il déjà confié au *Globe and Mail*, mais si les employés ne voient pas les membres de la direction les utiliser et en profiter, ils ne croiront pas qu'ils ont la permission d'aller de l'avant et de s'en prévaloir pour eux-mêmes.»

La nouvelle génération

Lise Chrétien enseigne le management à la Faculté des sciences de l'administration de l'Université Laval. Elle a conçu des boîtes à outils pour les employés et les employeurs afin de les aider à transformer la culture de leur entreprise pour favoriser l'harmonie entre le travail et la vie personnelle. C'est le terme – vie personnelle – que Mme Chrétien et son équipe préfèrent, car il englobe davantage que le rôle de parents. Je lui demande quel est le plus grand obstacle à la conciliation. «Je dirais que, du côté des employés, on hésite à aborder la question de la conciliation par crainte que ça nuise à notre carrière ou que l'entreprise s'immisce dans notre vie personnelle, me répond-elle. On craint aussi d'être mal vu par l'employeur et les collègues. Seuls les jeunes n'ont pas peur de parler de ça. En fait, ce sont souvent eux qui interrogent leur employeur potentiel en entrevue: "Qu'avez-vous à m'offrir?" demandent-ils. Ils ne sont absolument pas gênés.»

Du côté de l'employeur, c'est la question des coûts qui est un frein à la conciliation famille-travail. «Il y a la perception, poursuit Lise Chrétien, que l'employé va demander un aménagement de l'horaire, des jours de congé, et que l'employeur va perdre le contrôle sur le travail de l'employé et, surtout, que ça coûtera cher à l'entreprise. Or, ce n'est pas toujours le cas.»

Mme Chrétien me donne l'exemple de dirigeants d'une entreprise qui avaient fait appel à son expertise pour les aider à articuler une politique de conciliation. «Ils étaient prêts à implanter une garderie en milieu de travail, raconte-t-elle, certains que c'est ce que leurs employés souhaitaient. Or, quand je les ai rencontrés, ils m'ont avoué qu'ils n'avaient jamais consulté les employés pour déterminer avec eux quels étaient leurs besoins. Quand ils l'ont fait, personne n'a évoqué l'idée d'une garderie.»

Parfois, ce sont des solutions plus simples que les employés recherchent afin que leur vie soit facilitée. Le prêt d'un téléphone cellulaire, des services en entreprise (buanderie, changement de pneus aux saisons, etc.). «La clé, c'est de voir AVEC les employés ce qui peut faciliter leur vie, poursuit Lise Chrétien, et une fois que c'est fait, on peut s'attaquer à changer les valeurs de l'entreprise.»

Les changements s'opèrent lentement, me confirme la professeure de l'Université Laval. Cela va prendre une nouvelle génération pour qu'on voie des résultats. « Ça ne change pas plus vite que l'ascension des femmes à la haute direction », ajoute Mme Chrétien qui précise que nous sommes dans un contexte démographique et socioéconomique favorable à ces changements.

J'espère qu'elle a raison. Car il y a des jours où je me dis qu'on n'y arrivera jamais. Comme ce jour d'avril 2014, lorsque j'ai appris par l'entremise du magazine *Bloomberg* que certaines entreprises américaines – en particulier celles de la Silicon Valley telles que Facebook ou Apple – offraient à leurs employées la possibilité de congeler leurs ovules dans le but de les féconder au bon moment !

Cette nouvelle a fait le tour du monde et je suis certaine qu'elle a découragé plus d'une femme, en particulier celles du secteur des nouvelles technologies, pour qui le climat sexiste est déjà un obstacle de taille. La solution de ces entreprises à la conciliation travail-famille ? Retarder le plus possible le moment d'avoir des enfants. C'est comme si on disait aux femmes : « Donnez vos plus belles années et après, quand on vous jettera comme un objet périmé, vous irez faire des enfants. » Le frigo à ovules comme un des avantages sociaux ! J'avoue, je n'y avais pas pensé…

Des mesures simples

Est-ce si difficile de créer un climat de travail qui favorise l'épanouissement personnel de ses employés ?

La professeure de management Hélène Lee-Gosselin siège au comité du Bureau de normalisation du Québec afin d'élaborer une certification travail-famille. À son avis, il faut réunir plusieurs conditions pour que la conciliation travail-famille devienne une valeur, et non un vœu pieux, au sein d'une entreprise.

« Prenez Gaz Métro, m'explique-t-elle. La présidente, Sophie Brochu, a embauché des consultants pour mettre en place une véritable politique de conciliation travail-famille. Au Mouvement Desjardins, sous Monique Leroux, des succursales ont ouvert des garderies en milieu de travail.

« Ce n'est pas vrai que seul le temps fait son œuvre, poursuit la professeure. Le milieu de travail repose encore sur le mode dominant de la femme à la maison, un modèle qui date d'au moins 50 ans. La seule chose qui fera changer la situation, ce sont des règlements et des lois avec des dents. Ensuite, il faut mettre en évidence les succès des entreprises qui ont à cœur, dans leur ADN, cette recherche d'équilibre. »

Au Québec, il y a eu plusieurs initiatives pour le faire. Je pense aux prix ISO-familles décernés dans les années 1990 aux entreprises considérées comme les plus profamilles. Ces dernières avaient droit à un article dans le magazine *L'actualité*, question de les faire connaître et, qui sait, d'en encourager d'autres à emboîter le pas.

Aujourd'hui, on parle plutôt de certification conciliation travail-famille.

Pour Hélène Lee-Gosselin, il faut une constellation de facteurs avant qu'une entreprise soit ouverte à changer d'attitude en ce qui concerne la conciliation : il faut une pénurie de main-d'œuvre dans son domaine, il faut que cela fasse partie de la stratégie de recrutement et surtout, il faut que cela soit le facteur le plus important aux yeux de la direction, que ça devienne l'idéologie de l'entreprise.

Et pas besoin de faire comme Netflix, qui vient d'annoncer un congé parental illimité pour ses employés. Il y a des mesures plus modestes qui fonctionnent.

La preuve : l'entreprise Absolunet, qui a obtenu sa certification conciliation travail-famille en 2013. Basée à Boisbriand, avec un deuxième bureau sur le boulevard Saint-Laurent, à Montréal, elle est dirigée par un homme qui est aussi père de trois enfants. La conciliation travail-vie personnelle est au cœur de sa vie ET de la culture de son entreprise.

« La famille, pour moi, c'est important et c'est au centre de ma gestion », m'a confié Martin Thibault, président fondateur d'Absolunet. Ses employés, qu'ils soient parents ou pas, question de ne pas faire de jaloux, bénéficient de congés personnels qu'ils peuvent utiliser comme ils le souhaitent, pour accompagner un enfant malade, pratiquer leur sport préféré ou faire du bénévolat. Les employés peuvent aussi accomplir une partie de leurs tâches en faisant du télétravail, à condition qu'ils soient présents au bureau pour les réunions. Au sein des équipes, si tout le monde est d'accord, les membres peuvent se répartir la charge de travail selon les disponibilités de chacun. De son côté, Martin Thibault est à la maison tous les soirs pour manger avec ses enfants et les accompagner dans leurs différentes activités sportives. Il choisit en outre ses activités de réseautage avec soin afin qu'elles ne grugent pas le temps passé en famille.

« Tout ce que les parents et de plus en plus de célibataires demandent, c'est de la flexibilité, la possibilité de moduler leur temps de travail pour pouvoir consacrer du temps à autre chose que le boulot, m'explique cet homme d'affaires inspirant. C'est le genre d'arrangement qui fait toute la différence, qui fait en sorte qu'on est moins stressés, plus productifs et plus heureux. »

Des employés bien dans leur peau

Les règles mises en place par le patron d'Absolunet ne semblent pas si compliquées. Il serait somme toute assez facile pour les entreprises de faire preuve de flexibilité afin que leurs employés aient une vie épanouie (et qui dit employés épanouis dit aussi plus grande productivité).

Toutes les études vont dans ce sens. L'équilibre ne bénéficie pas seulement aux travailleurs, mais également à l'entreprise et, de façon plus large, à la société.

Dans un rapport de la Ville de New York intitulé *Families and Flexibility: Reshaping the Workplace for the 21st Century*, on cite une étude réalisée en 2000 auprès de 527 entreprises et publiée dans *Academy of Management Journal*. On affirme dans cette dernière que les organisations qui proposent des politiques de conciliation travail-famille plus exhaustives sont perçues comme étant plus performantes auprès de leurs pairs.

On cite ensuite une autre étude réalisée auprès de 130 entreprises, en 2003 celle-là, dans laquelle il est démontré que les entreprises qui annoncent publiquement l'adoption de politiques profamilles voient la valeur de leurs actions grimper.

Et que dire de cette troisième recherche publiée par le Council of Economic Advisers de la Maison-Blanche qui affirme que des mesures qui favorisent le retour au travail des femmes qui ont un enfant seraient bénéfiques pour l'économie américaine (je rappelle que, pour l'instant, les États-Unis n'offrent aucune mesure en ce sens).

Sans compter toutes celles qui soulignent à quel point la conciliation travail-famille est synonyme de meilleure santé mentale chez les travailleurs.

Ainsi, non seulement les mesures qui encouragent la conciliation travail-famille sont bonnes pour les femmes, elles bénéficient aussi aux hommes, à l'économie et à la société en général.

Il serait donc temps de s'y mettre.

Que fait votre employeur quand votre ordinateur est désuet? Quand votre logiciel ne répond plus aux normes? Il implante un nouveau système pour que votre entreprise soit plus performante. Il n'hésite pas, car cette dépense s'inscrit rapidement dans la colonne des investissements qui rapporteront. En fin de compte, les employés seront mieux équipés et plus productifs.

C'est la même chose avec les mesures proconciliation travail-famille. C'est un investissement qui favorise le bien-être, le bonheur et la productivité des employés.

La diversité, c'est payant

Quand on parle argent, productivité et rentabilité, les entreprises finissent toujours par tendre l'oreille. Ainsi, de plus en plus d'études démontrent que la diversité au sein d'une entreprise, particulièrement au sommet, est gage de succès.

C'est un des leitmotivs de Brianna Code qui travaille dans le milieu des jeux vidéo. Cette jeune programmeuse qui a longtemps travaillé chez Ubisoft (elle a entre autres été à la tête de l'équipe du jeu *Child of Light*), donne des conférences pour expliquer à des auditoires très variés que si leur entreprise de jeux vidéo réussit à recruter des femmes et des membres des minorités visibles, elle sera beaucoup plus performante, et ses jeux, beaucoup plus imaginatifs et créatifs.

De nombreuses études confirment que ce principe de diversité s'applique à l'ensemble du monde des affaires, pas seulement au secteur des jeux vidéo. En gros, on a constaté qu'un conseil d'administration, une équipe de création ou un comité de direction diversifié se traduit par un plus grand dynamisme et une meilleure performance de l'entreprise.

L'automne dernier, le grand patron du site chinois Alibaba, Jack Ma, a expliqué que le succès de son entreprise reposait sur la grande présence des femmes qui composaient près de la moitié de son personnel. Plusieurs études appuient les dires de cet entrepreneur. Dont celle publiée dans le *Strategic Management Journal* qui analyse 1 500 entreprises sur une période de 15 ans. Cette étude confirme que les entreprises innovantes qui génèrent le plus de revenus ont des femmes à la haute direction.

On revient donc à notre problème de départ : comment retenir les femmes dans les entreprises et comment favoriser leur promotion à des postes de direction ?

Le chef de la section États-Unis au journal *Financial Times*, Andrew Edgecliffe-Johnson, a peut-être un début de solution. Dans une lettre qu'il a fait parvenir à ses employés et qui a été rendue publique tellement son contenu est révolutionnaire, il implore les hommes de faire une plus grande place aux femmes dans leur milieu de travail. Il leur rappelle, au cas où ils ne le sauraient pas encore, que les femmes gagnent 25 % de moins que leurs collègues masculins et qu'elles ne représentent que 21 % et 23 % des postes de direction chez Google et Facebook, pour ne nommer que ces 2 entreprises-là. Si on continue sur cette lancée, note Andrew Edgecliffe-Johnson, on devrait atteindre l'égalité professionnelle vers 2096 !

Le journaliste britannique y va ensuite de quelques conseils aux hommes : « Rassemblez des données sur votre entreprise. Quelle part de femmes et d'hommes ont une augmentation, combien d'hommes et de femmes partent, quelles différences de salaires existent ? Dans la vie de tous les jours, demandez à votre collègue qui vient d'interrompre une femme de la laisser finir. Dans les entretiens d'embauche, demandez pourquoi telle femme n'est pas sélectionnée. Incitez votre entreprise à mettre en place des politiques de recrutement, d'évaluation et de rémunération qui limitent ces discriminations. »

Andrew Edgecliffe-Johnson va plus loin encore et suggère à ces hommes d'analyser le contenu de leur compte LinkedIn. Y a-t-il des femmes ou seulement des hommes ? S'il n'y a pas suffisamment de femmes, il faut y remédier afin de connaître d'autres perspectives, notamment sur la question de l'équilibre entre vie privée et vie professionnelle. Il leur suggère également d'échanger avec des femmes et de leur demander pourquoi elles ne gravissent pas les échelons. Et il termine avec ce délicieux conseil : « Oh, et quand vous rentrez à la maison, faites aussi la vaisselle. »

Ce journaliste britannique qu'on voudrait toutes comme patron n'est pas un hurluberlu et même pas une exception. Il tient un discours qui commence à faire son chemin au sommet des grandes entreprises. Pourquoi ? Parce que la présence des femmes se traduit en dollars.

C'est ce qu'ont affirmé les patrons de trois des quatre plus grandes firmes de comptabilité au monde (PwC, Ernst & Young, Deloitte) lors d'une conférence l'an dernier. Tous les trois ont dit qu'ils étaient en faveur d'une plus grande flexibilité ainsi que de congés plus généreux pour leurs employés. Ils se disaient en outre d'accord avec le principe d'évaluer la performance de leur personnel plutôt que leur simple présence au bureau. Et, surtout, ils ont confirmé à quel point la rétention des femmes et des hommes ayant des enfants était liée aux bénéfices financiers de leur entreprise.

Deux autres grands patrons, John T. Chambers de Cisco et Carlos Ghosn de Renault-Nissan Alliance, ont tenu à peu près le même discours en déclarant qu'ils ne pouvaient pas espérer être compétitifs sans augmenter le nombre de femmes à la tête de leur entreprise respective.

Bref, on dirait que les dirigeants d'entreprise se sont donné le mot pour propager la bonne nouvelle. Est-ce de la frime ? Une opération de relations publiques ?

Valérie Pisano me convainc du contraire. Directrice pour le Canada de Mobius Executive Leadership, Valérie a travaillé près de 10 ans au sein de la firme de consultants McKinsey & Co. Un de ses chevaux de bataille : la place des femmes en entreprise.

Chez McKinsey & Co., avec qui la jeune maman de trois enfants a conservé des liens d'affaires, la présence des femmes est passée d'un problème de ressources humaines à un objectif d'entreprise. « C'est *Lean In* qui a tout changé, me raconte-t-elle. Sheryl Sandberg a mis des mots sur ce que les femmes vivaient. Elles lisaient le livre et avaient l'impression de se regarder dans le miroir. »

Au sein de McKinsey & Co., les partenaires doivent s'impliquer. Les heures de travail sont longues et il n'est pas rare de visiter plusieurs pays durant la même semaine.

Valérie Pisano me rappelle quelques faits : dans les écoles où McKinsey & Co. recrute, les femmes constituent 65 % des diplômés. Elles représentent ensuite autour de 40 % des employés de la firme. « Or, quand on arrive au sommet, elles ne comptent que pour 10 % des partenaires, observe Valérie Pisano. Que s'est-il passé ? Elles sont parties parce qu'elles n'arrivaient pas à concevoir la vie de famille avec de tels horaires. Quand on sait que la présence des femmes à la tête d'une entreprise est synonyme de succès, il est devenu clair pour McKinsey & Co. que l'enjeu de l'heure était la rétention des femmes. »

La firme a donc décidé d'en faire un enjeu stratégique, un objectif d'entreprise. Le président a mis tout son poids dans la balance. Résultat : on est en train de travailler à changer la culture d'entreprise. Valérie Pisano y participe en offrant des séminaires destinés à cerner les préjugés négatifs et inconscients que les employés, femmes et hommes, ont à l'endroit des femmes leaders afin de changer leur attitude. Comme une grosse thérapie cognitive offerte aux employés. «Ça va loin, ça va jusqu'aux histoires qu'on célèbre à l'intérieur de l'entreprise, m'explique Valérie. Prenons un homme qui devient partenaire. Ses collègues vont raconter avec admiration la fois où le patron l'a appelé, alors qu'il était avec ses enfants à Disney et qu'il les a laissés là, avec sa femme, pour s'envoler vers Dubaï pour rencontrer un client. Et tout le monde va trouver ça extraordinaire. Premièrement, une femme aurait dit : "Voyons donc, je ne laisserai pas ma famille là." Et puis, ouache! Est-ce qu'on trouve vraiment ça extraordinaire? Est-ce cette histoire-là qu'on veut mettre en valeur? Alors que le même homme se sauve peut-être du bureau tous les lundis soir pour accompagner son fils au soccer et, ça, personne ne le soulignera. Les histoires qu'on célèbre au sein d'une entreprise en disent beaucoup sur la culture de celle-ci. Comment célèbre-t-on l'effort? Que reconnaît-on chez les gens? Il faut travailler là-dessus aussi.»

De nouvelles valeurs

Je suis ravie d'apprendre que le monde du travail découvre qu'avoir des femmes à sa tête est un atout. Il était temps. Je suis optimiste et je pense que cela ira plus loin encore. Je crois que la culture du travail est véritablement en train d'évoluer. J'observe un changement de valeurs, changement qui est peut-être amorcé par la génération Y qui accorde plus d'importance que les précédentes à la qualité de vie et aux activités autres que professionnelles. On dit des Y qu'ils sont narcissiques et égoïstes, et peut-être qu'ils ont fait basculer le balancier un peu trop loin, à l'autre extrémité.

Ma génération, les X, a connu la crise économique et était reconnaissante de pouvoir décrocher un emploi et travailler. C'était nous, la génération des stages non rémunérés, des *McJobs* de Douglas Coupland. On se pinçait quand on réussissait à obtenir un véritable emploi. On ne peut pas dire que nous avons été les plus revendicateurs, on avait bien trop peur de perdre ce qu'on avait durement acquis.

La génération qui nous suit est différente. Elle est arrivée sur le marché du travail en position de force et elle en profite. Ses exigences – qui passent souvent pour des caprices – causent bien des frictions, mais n'est-ce pas un peu prévisible quand deux conceptions du monde s'affrontent ? Car je crois que les attentes des Y auront grandement contribué à faire avancer la réflexion sur la place du travail dans nos vies. Cette place omniprésente qui pourrait bien prendre des proportions un peu plus humaines.

Après des décennies de déséquilibre, après des épidémies de *burn-out* et de dépressions liés au travail, j'entends çà et là des voix qui s'élèvent et qui réclament un plus grand équilibre. Une des voix importantes à véhiculer ce message n'est pas issue de la génération Y. C'est une baby-boomer. Dans son livre *Thrive : The Third Metric to Redefining Success and Creating a Life of Well-Being, Wisdom and Wonder*, Arianna Huffington, la patronne du *Huffington Post*, affirme que les gens doivent cesser d'associer le succès à l'argent et au pouvoir. Elle désigne plutôt ce qu'elle nomme les quatre piliers qui devraient composer une nouvelle unité de mesure pour évaluer la réussite. Ces quatre piliers sont le bien-être, la sagesse, l'émerveillement et le don.

Mme Huffington estime en outre que c'est aux femmes de montrer le chemin. « La façon dont le monde est conçu aujourd'hui, par les hommes, ne fonctionne pas. Ça ne fonctionne ni pour les hommes ni pour les femmes. »

Je crois qu'Arianna Huffington tient un bon filon et que sa thèse s'applique à merveille à la notion de conciliation travail-famille. Il est essentiel que la discussion publique à propos de cette difficile conciliation englobe tout le monde, et pas seulement les femmes. L'équilibre entre la vie professionnelle et la vie personnelle n'est pas une question qui concerne uniquement les mères. C'est un problème qui touche aussi les pères. Il faut cesser de concevoir la conciliation comme une affaire personnelle, un problème que l'individu doit régler seul. C'est une question qui touche tout le monde et il est grand temps de la traiter comme elle devrait l'être. Oui, c'est un enjeu d'entreprise, mais c'est aussi un enjeu de société. Une société composée de gens frustrés, épuisés, stressés.

Imaginons un seul instant qu'on fasse une meilleure place au bien-être personnel, au temps passé en famille, au bénévolat, à l'entraide, à la pratique d'un sport ou d'un loisir. Je suis convaincue que les gens seraient plus heureux. Qui a dit qu'avoir un emploi devait occuper tout notre horaire et nous priver d'accorder plus de temps aux autres facettes de notre vie? Et comment se fait-il que nous ayons accepté cela sans broncher, sans jamais remettre en question les exigences et les valeurs des entreprises qui nous emploient?

Je crois que nous sommes à un tournant. Et ce tournant bénéficiera à tous. Aux parents, bien sûr, qui souhaitent être présents auprès de leurs enfants. Mais ultimement, le débat entourant la conciliation travail-famille devrait bénéficier à tous ceux et celles qui désirent vivre une vie plus équilibrée et plus satisfaisante. Du moins, c'est ce que je nous souhaite.

Remerciements

J'aimerais remercier toutes les personnes qui ont généreusement accepté de me rencontrer et de me raconter une partie de leur vie personnelle et familiale afin que je puisse illustrer mon propos d'exemples concrets. Le livre est beaucoup plus riche grâce à vos témoignages. J'aimerais également remercier tous les universitaires, experts et intervenants qui ont accepté de m'accorder une entrevue malgré leur horaire chargé. Vos connaissances m'ont aidée à cerner mon sujet et à étoffer ma réflexion. Un immense merci à l'équipe de Québec Amérique, en particulier à Pierre Cayouette et Martine Podesto, pour son appui et sa confiance.

Un merci tout spécial à mes amis lecteurs – Sylvie St-Jacques et Alexandre Vigneault – pour leurs commentaires amicaux et judicieux, ainsi qu'à Patricia Richard pour son œil de lynx et ses précieux conseils, tous pertinents.

Sur un plan plus personnel, je remercie ma famille – Catherine, Élizabeth et Hugo – pour sa patience. Un merci particulier à ma maman, Pierrette Daoust, qui avait bien garni sa bibliothèque de livres féministes quand j'étais jeune. C'est là que j'ai puisé mes premières inspirations. Enfin, merci à mon mari, François Cardinal, qui m'a non seulement relue, mais qui a aussi alimenté ma réflexion. Si tous les hommes étaient des pères qui s'impliquent autant que toi, mon livre n'aurait pas de raison d'être. Merci d'être le partenaire incroyable que tu es.

Achevé d'imprimer
sur les presses de
Imprimerie H.L.N.
Imprimé au Canada - Printed in Canada